ID0727599

Le printemps des promesses

JEAN BRASHEAR

Le printemps des promesses

éditions Harlequin

Titre original : SWEET MERCY

Traduction française de CATHERINE BERTHET

HARLEQUIN®
est une marque déposée par le Groupe Harlequin
PRÉLUD'®
est une marque déposée par Harlequin S.A.

Photos de couverture
Champs de coquelicots : © RICHARD T. NOWITZ / CORBIS
Fenêtre ouverte : © BOTANICA / JUPITER IMAGES

© 2006, Jean Brashear. © 2007, Harlequin S.A.
83/85 boulevard Vincent-Auriol 75646 PARIS CEDEX 13.
Service Lectrices — Tél. : 01 45 82 47 47
ISBN 978-2-2808-3317-2 — ISSN 1950-277X

Prologue

Manhattan

De surprise, Kat lâcha les sacs dont elle avait les bras chargés. Tout aussi surpris qu'elle, Gamble se jeta hors du lit et sauta dans son jean. La femme qui se trouvait dans son lit, tout à fait nue, se plaignit alors d'une voix étouffée :

— Qu'est-ce qu'elle fait là ? Tu m'avais dit que c'était fini avec elle...

Gamble l'ignora et se prépara à la scène qui n'allait pas manquer d'éclater. C'était sans doute l'occasion de rappeler à Kat les termes du contrat tacite sur lequel leur relation était fondée — à savoir qu'il ne lui avait jamais rien promis, et qu'il ne pourrait jamais rien lui donner. Pourtant, et même s'il se sentait le cœur tout à fait sec, il ne réussit pas à prononcer un mot. Etait-il donc encore capable d'émotion ?

Ce fut Kat qui finit la première par sortir du silence dans lequel le choc l'avait figée. Le visage défait, elle

7

s'empara du splendide portrait d'elle qui était resté sur le chevalet, se rua hors du loft et dévala l'escalier.

Gamble s'engouffra dans le couloir, à sa suite, et la rattrapa juste avant qu'elle n'atteigne la rue. Elle semblait folle de rage et de chagrin. Et lorsqu'il voulut lui tendre la main…

— Si tu ne me laisses pas partir, je détruis ce portrait ! s'exclama-t-elle en brandissant le tableau.

Il ne protesta pas. Pas pour sauver son œuvre, non, mais parce qu'il ne pouvait sûrement pas faire de reproche à Kat. Quelle femme n'aurait pas réagi comme elle, en pareille circonstance ? Sa colère était amplement justifiée et il méritait de la subir.

— Alors entre nous, ce n'était qu'un mensonge ? lança-t-elle enfin, en le fusillant du regard.

— Je t'avais prévenue. Il n'y a pas de place pour toi dans ma vie.

— C'est vrai, reconnut-elle avec amertume. Quelle gourde j'ai été ! J'aurais dû te croire !

Elle eut un petit rire dur et ajouta :

— Tu sais le plus drôle ? D'habitude, c'est toujours moi qui décide de rompre, toujours moi qui laisse tomber les hommes. Cela fait des années que ça dure, alors certains diront que j'ai enfin ce que je mérite.

— Kat…, commença Gamble, partagé entre la culpabilité et un vague sentiment de compassion.

Et, de nouveau, il tendit la main vers elle. Mais elle eut un mouvement de dégoût, comme s'il avait

été pestiféré. Alors, de nouveau, il renonça en soupirant.

— Kat, les choses sont déjà allées trop loin entre
nous. Je ne peux pas... Tu m'as fait éprouver des
sentiments qui me sont interdits.

— Pourquoi est-ce que tu ne peux pas ? Réponds au
moins à ma question ! Tu me dois bien cela, non ?

Il hésita, puis se jeta à l'eau :

— Parce que je suis marié.

Kat se figea, abasourdie. Puis elle le gifla à toute
volée, si fort qu'il garda sur la joue la marque rouge
de sa main.

— Je ne te rendrai pas ce portrait, dit-elle.

C'était certainement le plus beau tableau qu'il ait
peint jusqu'à présent.

— De toute façon, je te le donne. Il est à toi,
répondit-il tout bas.

Le lui offrir, c'était le moins qu'il puisse faire pour
elle. Grâce à elle et à l'exposition qu'elle avait organisée
dans sa galerie de Chelsea, il avait fait son entrée dans
le monde de l'art. Kat lui avait donné l'avant-goût du
succès et de la célébrité qui l'attendaient.

Seulement voilà, toute cette gloire ne remplace-
rait jamais le bonheur qu'il avait connu dans les bras
de Charlotte, sa femme. La suavité de ses baisers, la
profondeur de son amour...

Il essaya encore une fois d'adoucir la douleur de
Kat.

— Ecoute, je...

— Non, rétorqua-t-elle sèchement, en le repoussant. Où est-elle ? Ta femme…

— Elle est restée au Texas.

— Salaud. Et qu'est-ce que tu viens faire à New York ?

— C'est compliqué, répondit-il tout bas en détournant les yeux. Je n'arrivais pas à peindre, là-bas. J'étouffais.

« Je n'avais plus envie de vivre », aurait-il pu préciser, pour être au plus près de la vérité.

— Et alors, tu es parti ? Tu l'as oubliée sur place, tout simplement ?

— Non, affirma-t-il tristement, je ne l'oublie pas.

— Retourne chez toi, Gamble.

Elle s'essuya gauchement les yeux. Kat, qui n'avait peur de rien et ne pleurait jamais… Puis elle se ressaisit et lui tourna le dos.

— Trouve quelqu'un qui te vaille vraiment, lui lança Gamble comme elle s'éloignait. Arrête de perdre ton temps avec des crétins.

Sur ce, il ajouta, en parlant du visage lumineux qu'il avait peint sur la toile :

— Laisse vivre la femme qui est là. Elle mérite mieux que moi.

Kat ne répondit pas. Elle poursuivit son chemin, de cette démarche digne et gracieuse qui lui appartenait. Mais aujourd'hui, son pas était plus lent, son allure moins décidée que d'ordinaire.

Gamble demeura seul. D'ailleurs, il ne savait plus vivre autrement.

Seul et triste.

Son cœur se serra. Il avait prévenu Kat, c'était elle qui l'avait voulu, qui l'avait sollicité, harcelé sans relâche — jusqu'à ce qu'il succombe et cède à son charme. Il aurait dû résister davantage… Malheureusement, même un homme aussi solitaire qu'il l'était devenu cherchait parfois à nouer des liens, des liens tendres. Ainsi, de simple aventure sans lendemain, sa relation avec Kat s'était prolongée en véritable liaison, et la jeune femme s'était insinuée dans son cœur.

Trop profondément.

Or, son cœur était *déjà* pris. Il appartenait à une autre… A Charlotte, morte depuis deux ans.

Chapitre 1

Un mois plus tard

Dans ses rêves, elle vivait toujours dans le cottage qu'il avait construit pour elle. Chaque pierre, chaque poutre était une preuve d'amour qu'il avait voulu lui donner.

Son visage était un songe, son sourire un enchantement. Une cascade de cheveux d'or retombait souplement dans son dos. Ses yeux couleur noisette l'attiraient comme des aimants, depuis qu'il l'avait vue pour la première fois. Il avait alors dix ans et elle en avait huit. C'est à cette époque-là qu'il avait compris que son seul but dans la vie était de la protéger.

Mais il n'avait pas prévu qu'il devrait aussi la protéger contre elle-même. Contre son désir de porter leur enfant, malgré les mises en garde répétées des médecins...

★
★ ★

Gamble Smith se retourna sur le matelas inconfortable et secoua la tête, cherchant en vain à rouvrir la porte du paradis. A voir encore une fois Charlotte blottie dans les coussins de la balancelle, sous le porche. A rester encore un moment assis auprès d'elle, à contempler les arbustes qu'il avait plantés autour de la maison. Ou bien à déambuler dans les allées du jardin, pour respirer avec elle le parfum des rosiers en fleurs qui garnissaient les massifs à l'arrière du cottage.

— Ne pars pas…, supplia-t-il. Reste avec moi, cette fois.

Charlotte se leva, une main pressée contre son ventre rond. Ce ventre qu'il avait maudit. Ses yeux étaient tristes. Elle lui envoya un baiser du bout des doigts, comme elle l'avait fait le dernier jour lorsqu'il était sorti pour aller chercher la surprise qu'il avait préparée pour elle. Un berceau qu'il avait fabriqué lui-même, une offrande pour faire la paix.

Mais il était revenu trop tard. Toujours trop tard. Elle était tombée sous le porche, pâle comme un ange de porcelaine, à l'endroit même où elle lui avait fait un petit signe d'adieu.

Elle lui avait pourtant promis que tout irait bien. Qu'il devait lui faire confiance.

Que l'amour suffisait.

Mensonges… tout cela n'était que mensonges.

Charlotte avait succombé à une embolie pulmonaire. Elle avait disparu, abandonnant derrière elle un homme, une vie, un rêve de bonheur.

Un homme au cœur brisé.

La sirène de l'ambulance résonna dans son sommeil. Il se dressa sur le lit, en crispant les mains sur le matelas.

— Charlotte ! Charlotte, je suis... *Pardon !*

Il entendit un crissement de pneus. Les freins d'un autobus. Le trafic assourdissant de la ville. Non, ce n'était pas le bruissement du vent dans les pins, ce n'était plus le Texas.

Gamble enfouit la tête entre ses mains. Il était encore à New York.

Au prix d'un effort surhumain, il se leva et enfila son jean. Sa seule échappatoire se trouvait dans le travail.

Pendant les premières minutes de la matinée, il crut qu'il allait enfin y arriver. Il crut qu'il allait pouvoir peindre le portrait qu'il avait promis à Charlotte des années auparavant. Après qu'il eut rangé ses pinceaux et tout son matériel, pour se consacrer à un travail plus lucratif... Afin de payer les factures des médecins qui soignaient la jeune femme pour sa maladie de cœur.

Par la suite, il avait fait d'innombrables portraits de femmes anonymes, traçant sur la toile de grands traits audacieux. Mais lorsqu'il abordait le projet qui lui tenait le plus à cœur — le portrait que Charlotte lui avait demandé —, ses doigts se mettaient à trembler. Elle avait regretté qu'il doive sacrifier son art pour elle, mais lui s'en moquait. Rien ne comptait davantage qu'elle. Pas même le talent qu'il sentait vivre en lui.

La sonnette du rez-de-chaussée fit entendre un son aigrelet. Gamble s'essuya les mains sur un chiffon et envisagea un instant de ne pas répondre.

Puis il se rappela que ça ne pouvait pas être Kat. En tant que propriétaire de la galerie où il exposait ses toiles, elle lui avait maintes fois reproché de ne pas avoir de téléphone dans l'ancien entrepôt presque en ruine, qui lui servait à la fois de logement et d'atelier. Cela l'obligeait à venir le voir, ou à lui envoyer un coursier, chaque fois qu'elle avait une communication à lui faire.

Mais il n'avait plus vu Kat depuis plus d'un mois. Elle s'était contentée de lui envoyer quelques courriers brefs et formels, lui faisant passer par un intermédiaire les chèques qui lui revenaient et les toiles qu'elle avait à lui rendre.

Leurs relations étaient redevenues strictement professionnelles.

Ce qu'elles auraient toujours dû être, d'ailleurs. Et si le petit grain de folie que Kat avait apporté à sa vie morne et austère lui manquait tant, à présent, c'était tant pis pour lui.

De toute façon, Kat était maintenant fiancée à un

gars plus intéressant que lui. Un type qui la méritait vraiment.

Gamble lui, s'était mis à peindre comme un possédé. Il était devenu la coqueluche de la ville, ses toiles s'arrachaient à des prix délirants. Il mangeait quand il y pensait et ne dormait que quand il n'arrivait plus à tenir ses pinceaux.

Toutefois, dans tout ce brouillard opaque qu'était sa vie quotidienne, il se rappelait avoir reçu une lettre de son frère Levi l'informant que quelqu'un avait fait une offre d'achat pour le cottage.

Le cottage de Charlotte.

Le cottage où Gamble ne pourrait plus jamais vivre.

Lorsqu'il avait quitté la ville de Three Pines, au Texas, il avait tout abandonné derrière lui. En un an d'absence, il n'avait téléphoné que deux fois à sa famille, enfermé qu'il était dans sa trop grande solitude. Chaque fois, leur sollicitude avait manqué lui faire perdre courage et revenir sur sa décision de rester à New York. Cependant, il ne pouvait plus vivre à Three Pines. Le village était imprégné du souvenir de Charlotte.

La sonnette retentit encore, avec insistance.

— D'accord, d'accord ! cria-t-il avec un geste d'exaspération.

De toute façon, il n'arrivait plus à avancer. Il dévala l'escalier en demandant :

— Qu'est-ce que c'est ?

— Un message.

Il ouvrit la porte.

— De qui ?

— Aucune idée.

Le gamin lui donna une enveloppe et tendit la main pour le pourboire.

Gamble tâta les poches de son jean taché de peinture et trouva deux malheureuses pièces. Kat l'avait tarabusté pour qu'il ouvre un compte en banque à New York. Il continuait d'envoyer tout ce qu'il gagnait à Three Pines, ne gardant que le strict minimum pour vivre. Il n'était pas venu à New York pour l'argent mais pour honorer une promesse. Et aussi dans l'espoir de trouver une raison de continuer à vivre.

— Ça ira ?

— Faut bien.

Le gamin esquissa une moue désabusée pour lui faire comprendre qu'il aurait pu faire mieux, et tourna rapidement les talons.

Gamble demeura un long moment devant la porte, à contempler l'enveloppe, avant de se décider enfin à l'ouvrir :

« Nous ne sommes pas à New York ici, disait le mot. Les acheteurs ne se bousculent pas. Tu voulais me donner un pouvoir pour la vente, mais il n'est pas question que je signe à ta place, ou que je t'envoie le compromis de vente par la poste. Tu nous manques à tous, surtout à maman. Si tu es décidé à vendre le cottage, tu n'as qu'à venir pour la signature. »

Gamble secoua la tête d'un air excédé et poursuivit sa lecture.

« PS : Ce sera l'anniversaire de maman dans deux jours. Ton tableau est bien arrivé, mais je ne le lui donnerai pas tant que tu ne seras pas là. Tiens-le-toi pour dit. »

Gamble eut un petit rire, puis soupira et se frotta le front avec lassitude. Il aurait bien aimé que son frère aîné lui fiche la paix, mais il y avait peu de chances que ça se produise. La famille Smith était très unie. Un vrai clan.

Il fit rouler ses épaules pour se détendre, cherchant quels arguments il pourrait invoquer pour se défiler.

Puis il remonta l'escalier et alla préparer sa valise.

Three Pines, Texas

— Je t'ai entendu, Louis.

Jézabel Hart ramassa les chopes de bière sur une table, puis poussa une jarre en céramique vers l'un des clients.

— C'est pas possible ! protesta l'homme. Ce fichu juke-box marche tellement fort qu'on ne s'entend même pas penser.

Jézabel arqua un sourcil.

— Cette fois, ça fera deux dollars.

Des rires et des huées s'élevèrent tout le long du

comptoir. Louis tapa du plat de la main sur le bois sombre.

— P...

Il parvint à ravaler le mot interdit et marmonna simplement :

— Quelle poisse !

Jézabel prit la chope qu'il venait de vider et essuya le comptoir.

— Allons, donne-moi ces trois dollars, c'est pour une bonne cause.

Avec l'argent qu'elle collectait chaque fois qu'un client laissait échapper un juron, elle avait réussi à créer un fonds destiné à financer un repas de Noël pour les personnes isolées. Le premier juron, qu'il soit prononcé par un client ou un membre du personnel, coûtait un dollar. A chaque juron suivant, la somme était doublée. Ceux qui refusaient de payer n'avaient plus le droit de revenir pendant une semaine.

Certes, ils avaient tous râlé quand elle avait instauré cette règle, en octobre. Et Louis plus fort que les autres. Mais il avait dévoré son repas de Noël et en avait redemandé.

— C'est pas une façon de tenir un bar, grommela-t-il en fouillant dans son portefeuille.

Jézabel se pencha vers lui, au cas où il aurait laissé échapper un mot interdit. Louis posa trois billets de un dollar sur le comptoir de chêne sombre.

— Je vois pas pourquoi Skeeter est parti en nous laissant avec un tyran comme toi.

Jézabel et lui se regardèrent en souriant.

Avec un prénom comme le sien, et son passé de danseuse exotique, tenir un bar était l'exercice le plus périlleux qu'elle ait jamais dû accomplir. Mais elle était bien décidée à s'en sortir.

Elle alla essuyer une autre table. Bobby Redstone approcha dans son dos.

— Jézabel, mon bébé…

Il empestait le whisky.

— Je ne te sers plus d'alcool, mon chéri, dit-elle en souriant. Mais tu as droit à une tasse de café.

— Ma beauté, je t'adore, bredouilla-t-il en caressant ses longs cheveux noirs et bouclés. Viens là… embrasse-moi.

Elle coula un regard en coin à Darrell Garrett et lui fit signe de ne pas bouger. Darrell mesurait deux mètres et pesait plus de cent kilos. C'était son cuisinier, son barman et son garde du corps. Mais elle avait appris à repousser les avances des hommes depuis l'âge de quatorze ans.

Elle glissa un bras autour de la taille de Bobby.

— Je ne veux pas rendre Louis jaloux, tu le sais. Qui peut dire de quoi il est capable ? J'aurais le cœur brisé, s'il abîmait ton joli visage.

Bobby n'était pas assez ivre pour ne pas saisir la plaisanterie. Louis approchait des quatre-vingts ans, il lui arrivait à l'épaule et était squelettique.

— Ce n'est pas juste, Jézabel. Chaque soir, j'ai sous les yeux la plus belle fille du monde et je n'ai pas le droit de la toucher. Pour qui tu te réserves, dis ? marmonna-t-il en tentant de lui embrasser le cou.

— Mon cœur appartient à Louis. S'il ne veut pas de moi, je renonce à l'amour.

Vive comme l'éclair, elle esquissa un mouvement de côté. Avant que Bobby ait compris ce qui se passait, il se retrouva assis devant une table. Elle alla lui chercher un café.

— Tu es trop bonne, murmura Darrell. Si j'étais aussi habile que toi pour esquiver les attaques, je serais déjà dans la Fédération de Football.

— Tu es très bien où tu es, avec Shirley, répondit-elle en lui tapotant l'épaule. Le bébé vous laisse dormir plus de deux heures d'affilée ?

Les épaules de Darrell s'affaissèrent un peu.

— Ne m'en parle pas.

— Tu n'as qu'à venir travailler plus tard, demain matin. Je me charge de réceptionner les livraisons.

— Ce n'est pas la peine. Les autres gamins doivent se lever pour aller à l'école, de toute façon.

Elle jeta un coup d'œil à la pendule.

— Ils sont déjà au lit à cette heure-ci, n'est-ce pas ?

— Pour l'amour du ciel ! Je l'espère.

— J'aimerais pouvoir les garder chez moi pour vous laisser dormir. Mais vous pourrez peut-être vous reposer, une fois qu'ils seront partis à l'école ?

Darrell éclata de rire, faisant tressauter ses longues boucles brunes qui lui tombaient sur les épaules.

— Les garder ? Je savais que tu étais folle, mais pas à ce point !

— J'adore tes gosses.

— Et ils te le rendent bien. Mais même si tu avais de la place dans l'espèce de hangar où tu vis, il faut bien que tu te reposes, toi aussi. Entre le bar et ce que tu fais pour Skeeter, tu travailles au moins vingt heures par jour. Tu sais, ça ne te ferait pas de mal de laisser quelqu'un t'aider, ajouta-t-il en fronçant les sourcils.

Jézabel se débrouillait seule depuis l'âge de treize ans. Il lui était difficile d'imaginer la vie autrement.

— Je dois faire marcher cette affaire. Skeeter compte sur moi.

Skeeter Owens était pour Jézabel le grand-père qu'elle n'avait jamais eu. Ils s'étaient rencontrés à Reno, où il était allé passer quelques jours devant les tables de jeux. Elle était hôtesse d'accueil. Il avait découragé un client qui se montrait un peu trop pressant, et ils avaient passé le reste de la soirée à discuter. Skeeter lui avait laissé un pourboire trop généreux pour qu'elle ait le courage de le refuser. Elle l'avait pris, en se demandant ce qu'il exigerait en échange. Elle avait connu des jours difficiles au cours de sa vie, et bien qu'elle ne soit jamais allée jusqu'à vendre son corps pour vivre, il lui était arrivé de penser qu'un jour il ne lui resterait que ce recours pour ne pas mourir de faim.

Mais Skeeter voulait simplement lui offrir un petit déjeuner et discuter avec elle. Sans même s'en rendre compte, elle s'était mise à lui raconter sa vie. Orpheline à cinq ans, enlevée à huit ans à la garde de sa tante qui se droguait, ballottée de famille en famille… Puis Skeeter lui avait parlé à son tour, d'abord des enfants qu'il n'avait jamais eus, puis de la femme qu'il avait perdue quelques années plus tôt. Du bar qui l'aidait à tenir le coup. Ils s'étaient quittés avec la promesse de s'écrire, et Skeeter avait invité Jézabel à lui rendre visite si jamais elle passait dans les environs de Three Pines, au Texas.

Elle n'avait pas pris l'invitation au sérieux.

Mais elle ne savait pas que, un jour, elle deviendrait une fugitive.

Les lettres de Skeeter avaient commencé à l'inquiéter deux ans plus tard, juste au moment où elle avait besoin de mettre de la distance entre elle et Vegas, la dernière ville où elle avait atterri, portée par le hasard et les événements. Elle avait été le témoin d'un meurtre, mais celui-ci n'était pas assez important pour qu'elle bénéficie de la protection de la police. Toutefois, l'inspecteur qui avait pris sa déposition ne lui avait pas caché qu'elle avait tout intérêt à disparaître tant que Russ Bollinger, un des patrons du crime, n'était pas derrière les barreaux. Ne sachant où se réfugier, Jézabel avait décidé de rendre visite à Skeeter.

Un an plus tard, elle était toujours là, et son angoisse au sujet de Bollinger se dissipait doucement. Après une fracture de la hanche, Skeeter avait dû entrer dans une maison de repos et elle lui cherchait un logement plus adapté que l'appartement délabré qu'il occupait derrière le bar. En attendant, malgré son manque d'expérience, elle gérait ses affaires et tenait le bar.

A sa grande surprise, elle ne s'en sortait pas trop mal.

Elle avait également un objectif qui lui tenait à cœur. Tellement à cœur que cela l'effrayait un peu.

Elle rêvait d'acheter une maison — mais pas n'importe laquelle. Bon, d'accord, ce n'était qu'un cottage, mais il était parfait. Elle en ferait sa première vraie maison.

A condition toutefois que le propriétaire accepte de vendre.

— Dernière tournée, les gars ! lança Darrell.

— Qui va ramener Bobby chez lui ? demanda Jézabel.

— Moi, je pourrais le faire, suggéra Louis.

— Merde, non ! protesta Bobby d'une voix pâteuse. Tu es tellement soûl que tu ne verras même pas la route.

— Larry, tu le ramènes, décida Jézabel. Et toi, Bobby, tu me dois un dollar. Lève-toi.

L'ivrogne se mit à râler, aussitôt imité par les autres, mais Jézabel sourit.

— Allons, messieurs, je pense que Noël pourra être fêté dignement cette année. Et nous ne sommes qu'en mars !

Les hommes sortirent en lui souhaitant une bonne nuit. Avec un sourire de satisfaction, elle déposa les verres dans l'évier et ouvrit le robinet.

Chapitre 2

Après avoir changé trois fois d'avion et passé une nuit blanche, Gamble s'aventura d'un pas chancelant sous les lumières aveuglantes du terminal de Dallas. Il s'arrêta pour boire une énorme tasse de café, puis se dirigea vers le comptoir d'arrivée des bagages. Son frère devait le retrouver là-bas pour le ramener à Three Pines, à plus de deux heures de route de l'aéroport.

Il se brûla le palais en avalant son café et jura à mi-voix. Puis, laissant tomber à terre son sac de voyage, il se passa les mains sur le visage. Levi n'était pas là.

Mais tout à coup, sa sœur Lily surgit devant lui et lui sauta au cou.

— Enfin ! Ce que tu m'as manqué ! chuchota-t-elle. Je te tuerais !

Gamble ferma les yeux. Pendant des mois après la mort de Charlotte, il s'était enfermé dans le cottage, refusant de parler à ses amis ou même à sa famille. Le seul fait de respirer lui semblait insurmontable.

Il se rendait compte, à présent, de l'inquiétude que sa prostration leur avait causée.

— Je suis désolé.

— Chut… Tu es là, maintenant. C'est tout ce qui compte, dit Lily en s'écartant pour le dévisager. Tu as l'air épuisé. Mais ça va mieux, n'est-ce pas ?

— Oui, concéda-t-il.

Lily lui passa un bras autour de la taille.

— Ne t'avise pas de repartir.

Il ne dit rien — cela valait mieux que de faire une promesse qu'il ne tiendrait pas. Il n'était venu que pour dire adieu à son passé.

— Où est Levi ?

— Derrière toi, répondit alors son frère, juste derrière lui. J'hésitais entre t'embrasser ou te botter le train.

— Comme tu voudras. Je ne suis pas de taille à me défendre.

Gamble se tourna vers son frère aîné, que l'on prenait souvent pour son jumeau bien que ses cheveux soient plus clairs que les siens et ses yeux d'un bleu un peu plus foncé.

— Tu as une mine épouvantable ! déclara Levi, avant de lui assener une grande claque amicale dans le dos.

Les deux frères s'embrassèrent. Gamble avait passé tant de temps seul qu'il avait oublié ce que c'était d'être entouré et aimé.

Quand ils se séparèrent, il vit que les yeux de Levi étaient embués de larmes, comme les siens.

Puis il remarqua que Lily pleurait et que le sourire de Levi n'était pas naturel.

— Qu'est-ce qui ne va pas ?

Son frère et sa sœur échangèrent un regard, l'observèrent en silence, comme s'ils cherchaient à évaluer sa capacité à supporter le choc.

— C'est maman ? demanda-t-il, la gorge serrée. Il lui est arrivé quelque chose ?

Ils tardaient décidément à répondre, et Gamble s'emporta.

— Je vous promets de ne pas craquer. Dites-moi ce qui se passe !

— Elle a eu un accident de voiture hier soir.

— Grave ?

— Une jambe cassée, une commotion, une hémorragie interne. La voiture est démolie, marmonna Levi en passant une main sur son visage. On vient de l'opérer, mais elle n'a pas encore repris conscience. Noah est avec elle. Le médecin dit qu'il ne faut pas s'alarmer, mais…

— Mais tu es inquiet tout de même.

Levi lança à Lily un regard embarrassé.

— Tu n'as pas à me protéger, Levi, dit-elle. Je ne suis pas une enfant. Oui, nous sommes inquiets, ajouta-t-elle en s'adressant à Gamble. Maman nous a semblé… fragile, ces derniers temps.

— Et personne ne m'en a parlé ?

Levi serra les dents et lança avec amertume :

— Tu serais venu ?

Gamble se figea.

— Qu'est-ce que tu insinues ?

— Les garçons ! s'exclama Lily. Vous venez juste de vous retrouver… Et ce n'est pas en vous disputant que vous aiderez maman !

Mais Gamble continua, comme s'il ne l'avait pas entendue :

— Si on m'avait mis au courant, bien sûr que je serais venu tout de suite ! Tu n'as pas le droit de sous-entendre le contraire !

Et si elle ne se réveillait jamais ? songea-t-il alors. Combien de temps avait-il perdu ?

Levi se passa la main dans les cheveux et soupira :

— Je sais que tu serais venu. En fait, maman et moi avons eu une sérieuse dispute… à cause de toi.

— De moi ? Pourquoi ?

— C'est au sujet du cottage. Elle pense que je n'aurais pas dû t'obliger à revenir pour t'en occuper.

— Parce que je n'en suis pas capable ? Mais qu'est-ce qu'elle croit ? Je ne suis plus un gosse.

— Elle t'aime, Gamble. Elle veut que tu te remettes à vivre. Elle est enchantée de lire les articles consacrés à tes expositions.

— Elle ne devrait pas essayer de me protéger.

Ce n'était pourtant pas la première fois que cela arrivait. Marian Smith n'avait jamais laissé tomber son fils. Même pendant les jours les plus sombres, elle s'était toujours tenue à ses côtés. C'était elle qui avait rappelé à Gamble combien Charlotte avait regretté qu'il renonce à son art pour elle. Elle l'avait laissé pleurer tout son soûl après la mort de son épouse, mais sans jamais le quitter des yeux. Quand il n'avait même plus la force de se lever le matin, elle se glissait chaque jour sans bruit dans la maison pour lui apporter un repas qu'elle laissait dans la cuisine. Elle ramassait en silence les pinceaux qu'il avait brisés dans un accès de rage et de chagrin. Déposait un baiser dans ses cheveux lorsqu'il restait assis sous le porche, le regard vide.

Elle l'avait aimé bien plus, selon lui, qu'il ne le méritait.

Et elle avait toujours agi pour son bien, le poussant à partir alors même que son départ lui causait une peine immense et beaucoup d'inquiétude.

— Allons-y.

— Comment est ta valise ? Je vais la chercher.

— Je n'ai que ce sac.

— Bon sang, Gamble, tu ne vas pas encore te sauver dès demain ?

— Non, mais je n'ai pas emporté grand-chose.

— Il y a un an que tu es parti et tu n'as pas plus d'affaires que cela ?

— Tout le monde ne peut pas être une bête de mode comme Noah.

Tout le monde se souvenait que, à l'âge de sept ans, leur petit frère avait économisé son argent de poche pendant des mois pour s'acheter une chemise branchée… Levi se mit à rire.

— Lily tuerait quelqu'un pour avoir la même garde-robe que Noah.

Ils échangèrent un pâle sourire, mais le cœur n'y était pas.

— J'ai besoin de la voir, dit Gamble. Je ne me le pardonnerai jamais, si…

Levi l'interrompit d'un signe de tête.

— Pas de risque. Maman a de la ressource.

Lily prit le bras de Gamble et se laissa aller contre lui.

— Ce n'est pas ce que nous avions prévu pour son soixantième anniversaire, dit-elle d'une voix de petite fille.

Il lui pressa gentiment l'épaule.

— Levi a raison, Lily. Maman est une battante. Tout ira bien. La fête sera seulement un peu repoussée.

Il se voulait rassurant, tenant en échec ses propres angoisses. Et au fond de lui, une voix murmurait : « Tiens bon, maman. Je suis désolé… » Mais il ne savait pas trop s'il s'adressait à sa mère ou au Dieu qui l'avait laissé tomber le jour de la mort de Charlotte.

Jézabel se cogna le pied contre son lit et eut le plus grand mal du monde à réprimer un juron. Elle ne pouvait quand même pas transgresser les règles qu'elle avait elle-même établies et se laisser aller !

Assise sur le lit couvert d'un quilt en velours multicolore, elle se massa les orteils.

A cet instant, un miaulement se fit entendre.

Oscar sauta d'une pile de livres sur l'oreiller, et se faufila sur les genoux de sa maîtresse.

— Le camion qui livre la bière va arriver. Je n'ai pas le temps de m'occuper de toi.

Mais elle prit malgré tout le chat dans ses bras et enfouit le visage dans la fourrure blanche et soyeuse de l'animal. Celui-ci se mit à ronronner si bruyamment que Rufus en quitta son coin préféré, près du radiateur. Ignorant le félin lové sur Jézabel, il posa sa grosse tête aux poils dorés sur les cuisses de la jeune femme.

Jézabel se mit à rire en regardant les deux bêtes qui s'ignoraient ostensiblement avec dédain. Le vieux chien — résultat d'un croisement entre un golden retriever et Dieu sait quoi — ne l'avait jamais quittée depuis qu'elle l'avait trouvé tout petit, abandonné dans une ruelle de Tahoe, derrière le bar où elle travaillait comme strip-teaseuse.

Il était tout ce qu'elle possédait quand elle s'était enfuie de Vegas. Rufus et elle avaient parcouru des milliers de kilomètres ensemble et aucun chat au monde, si gros et si bagarreur soit-il, ne lui prendrait jamais sa place.

Elle prit donc le temps de caresser l'un et l'autre, s'accordant un parfait moment de détente.

« Jéz, ma fille, tu es pathétique, songea-t-elle dans le même temps. Avoue que tu préférerais être dans les bras d'un homme. »

Peut-être. Mais elle avait renoncé au sexe et à l'amour

bien avant de quitter Las Vegas. Elle avait rencontré tant d'hommes dans sa vie qu'elle en avait perdu le compte. La plupart étaient mariés et menteurs, ou bien divorcés et amers, ou encore… lamentables.

Il y avait longtemps aussi qu'elle ne remarquait même plus les regards concupiscents qu'ils portaient sur ses courbes généreuses. Son corps pulpeux et elle cohabitaient comme ils pouvaient depuis l'adolescence, et elle avait dû s'habituer à ce que ce physique soit parfois un atout — mais le plus souvent une source de problèmes.

Elle s'en était servie, quand elle n'avait pu faire autrement. Cependant, elle aurait vendu son âme au diable pour avoir des hanches étroites de garçon et faire un bonnet A en soutien-gorge. Enfin, disons B. Il ne fallait pas exagérer non plus. Ainsi, peut-être aurait-elle plus facilement attiré les hommes bien que les minables ?…

Quoi qu'il en soit, à Three Pines, village de sept cent quarante-neuf habitants, les hommes dans le genre de celui qu'elle attendait n'existaient pas. Et tous les rêves de famille qui allaient avec cet homme imaginaire resteraient à l'état de fantasme…

Certes, il y avait bien Levi Smith, vétérinaire et célibataire, mais il semblait préférer les femmes douces et aux airs modestes. Pas du tout elle… Et puis, pour une femme avec un passé comme le sien, soupirer après un homme comme lui était parfaitement ridicule.

En revanche, elle avait enfin trouvé la maison qui

cadrait avec ses rêves secrets et elle s'arrangeait pour passer devant au moins une fois par semaine. Elle ne lui appartenait pas encore, mais elle voulait désespérément l'acquérir. Il fallait absolument que Skeeter ait un foyer pour profiter du temps qui lui restait.

Jézabel n'avait pas traversé les épreuves d'une vie difficile en ne s'appuyant que sur sa beauté. Elle avait du cran, du courage, et le travail ne lui faisait pas peur. Toutes qualités qui lui seraient nécessaires pour remettre le cottage en état. Comme le château de la Belle au bois dormant, la maisonnette était restée longtemps enfouie sous les ronces, les plantes grimpantes en tout genre, le chagrin et la souffrance. Du moins, c'était ce que racontaient les rumeurs locales.

Elle voulait lui redonner vie.

Une dernière caresse à Rufus, puis elle chassa le chat et se leva.

— Allez, les petits, assez de câlins. Je vais travailler.

Elle franchit la porte de la bicoque, fit quelques pas et entra dans le bar au moment précis où le camion de livraison entrait sur le parking.

Gamble sortit de la chambre d'hôpital, s'immobilisa dans le couloir et se passa les mains sur le visage, comme pour chasser le désespoir qui l'accablait. L'odeur d'antiseptique, de sang et… de mort qui régnait dans le bâtiment n'était que trop familière.

Un soir comme celui-là, il avait traversé ces couloirs nus en titubant, tel un homme à la dérive. *Veuf.* Le terme s'appliquait d'ordinaire à quelqu'un qui avait eu une vie remplie. Qui avait eu le temps d'élever ses enfants, avant de voir les premiers fils d'argent strier la chevelure de sa femme, puis la sienne.

Gamble n'avait rien de tout cela, lui. Ni femme ni enfant. Seulement un passé trop court qui, en dépit de tous les problèmes de santé de Charlotte, était émaillé de moments de joie et d'amour, de jours brillants comme autant de perles de rosée dans un matin d'été.

Et il se retrouvait là encore une fois.

Voir sa mère dans ce lit d'hôpital lui avait serré le cœur. Même s'il n'avait pas autant haï les hôpitaux à cause de la maladie de Charlotte, il aurait éprouvé cette peine profonde. Marian Smith était faite pour le grand air et le soleil, pas pour les lumières artificielles d'un service de réanimation. Il lui fallait les fleurs et la nature, pas ces moniteurs impersonnels qui émettaient des sons inquiétants et des messages incompréhensibles.

— Gamble ?

Il se retourna à contrecœur et marqua une hésitation.

— Hélène ? dit-il en reconnaissant la meilleure amie de Charlotte. Que fais-tu ici ?

— Je travaille, dit-elle en désignant sa blouse.

— Je te croyais à Dallas.

— Mes parents ne pouvaient pas se débrouiller sans aide, alors je suis revenue pour être près d'eux.

— Et Ricky ?

— Nous avons divorcé, répondit-elle avec un léger haussement d'épaules.

— Désolé.

— Ce sont des choses qui arrivent.

Il y eut un silence inconfortable.

— Gamble, je n'ai pas su te parler, quand Charlotte est morte.

— Il n'y avait rien à dire.

— J'ai entendu parler de ton exposition. Charlotte aurait été fière de toi.

« J'aurais préféré la garder et ne plus jamais peindre », songea-t-il dans le même temps. Pourtant, il ne prononça pas les mots qui venaient de lui traverser l'esprit.

— Elle t'aimait tant.

— Ça suffit, maugréa-t-il en se détournant.

La colère qui le rongeait sourdement resurgit du plus profond de lui, comme s'il ne l'avait jamais domptée. Il chercha la sortie des yeux, mais Hélène le retint par le bras.

— Gamble, elle pensait vraiment qu'elle pouvait avoir cet enfant et te rendre encore plus heureux.

— Eh bien, c'est raté.

Un goût amer lui envahit la bouche. Les souvenirs

douloureux l'enveloppèrent comme un brouillard épais prêt à l'étouffer.

— Il faut lui pardonner, Gamble. Laisse tout ça derrière toi.

— Fiche-moi la paix ! s'écria-t-il.

Hélène se figea, manifestement atterrée. Alors, au prix d'un immense effort, il parvint à se ressaisir et à calmer le démon qui lui déchirait de nouveau le cœur et distillait le poison dans ses veines.

— Hélène, je suis désolé. Mais je ne suis pas...

Pas prêt.

Sur ce, il traversa d'un pas vif la salle d'attente où étaient rassemblés presque tous les amis de sa mère, et fila dans l'escalier. A mi-chemin, il s'arrêta et s'assit sur une marche pour reprendre son souffle. Impossible de supporter les regards de pitié, les paroles de consolation.

Et l'idée que tous ses efforts venaient de se trouver réduits à néant en une seconde.

Soudain, il entendit une porte s'ouvrir derrière lui.

— Gamble, tu es là ?

— Oui, Noah. Tu peux venir.

Son jeune frère descendit l'escalier, vint s'asseoir à côté de lui, et demeura silencieux. Noah avait toujours été un élément modérateur. Alors que Gamble et Levi se querellaient sans cesse pour des jeux, pour des filles, ou simplement pour le plaisir de se frapper, Noah se tenait invariablement en dehors des disputes et essayait de raisonner son monde avec logique.

Sa tactique n'avait pas toujours eu beaucoup de succès. Mais Gamble et Levi adoraient leur petit frère.

— Désolé. Je vais retourner dans la salle d'attente avec vous tous.

— Le médecin nous a conseillé de rentrer chez nous et de revenir demain matin. Il a le numéro de portable de Levi s'il devait nous contacter. L'état de maman est stable. Il pense que le sommeil l'aide à reprendre des forces.

— Je n'ai pas le courage de la laisser comme ça.

— Tout le monde se souvient des nuits que tu as passées dans un fauteuil au chevet de Charlotte, Gamble. Mais nous ne pouvons rien faire d'autre qu'attendre. Je sais que l'atmosphère de l'hôpital te rend fou. Va plutôt te reposer à la maison. Tu as une mine à faire peur.

Gamble n'essaya pas de nier. Il ébaucha un pâle sourire.

— Tu es jaloux parce que je suis plus beau que toi.

Noah eut un petit rire. Avec ses yeux bleus, ses longs cils noirs et ses cheveux blonds, Noah était si beau que les gens se retournaient sur son passage lorsqu'il était enfant, ce qui avait le don de l'agacer. Aujourd'hui encore, il attirait toujours autant le regard des femmes, mais il avait compris l'avantage de la situation et ne s'en plaignait plus.

— Je suis sérieux, Gamble, va te reposer. Voilà les clés de ma voiture. Prends-les, je rentrerai avec Levi. Tu dors chez toi, ou chez maman ?

Gamble se raidit. Les deux maisons contenaient trop de souvenirs.

— Je ne sais pas. J'irai sans doute jeter un coup d'œil au cottage.

— Tu vas vraiment le vendre ?

— Je n'y ai pas encore réfléchi sérieusement.

Noah lui donna une tape sur l'épaule et se leva.

— Chaque chose en son temps. Va dormir. Tout te paraîtra plus clair demain matin. Prends mon téléphone portable pour que nous puissions te joindre plus facilement si nous avons des nouvelles. Je suppose qu'un ermite comme toi n'en a pas ?

Gamble regarda le téléphone comme si c'était un serpent à sonnette.

— Non, je n'en ai pas. Comment ça marche ?

Noah leva les yeux au ciel.

— Un de ces jours, il faudra que tu acceptes de vivre au XXIe siècle !

Il lui donna une rapide explication. Gamble se leva et l'embrassa.

— Merci, petit frère.

Serrant les clés dans sa main, il descendit l'escalier. Il était exténué, mais trop énervé pour dormir.

Autant se rendre tout de suite au cottage.

★
★ ★

En sortant de l'hôpital, il se rendit compte qu'il faisait déjà presque nuit. Il traversa la ville, passa devant le cinéma et le vieux bazar. A deux kilomètres du centre, il tourna à droite, parcourut encore un kilomètre et s'engagea dans le chemin étroit et sinueux qui menait à Honey Creek.

Charlotte adorait ce nom. Elle avait voulu une pancarte pour leur portail : *Bienvenue à Honey Creek Cottage*. Leur petit paradis, perdu dans la forêt.

Et aujourd'hui, quelqu'un avait le culot de vouloir l'acheter.

Il n'avait même pas demandé à Levi combien on lui en offrait. Il aurait dû vendre, bien sûr. Comment pourrait-il retourner vivre là-bas ?

D'un autre côté, comment abandonner le rêve de Charlotte à un étranger ?

Il contempla le paysage. La crique se trouvait tout au bout du terrain de quatre hectares qu'ils avaient acheté. Le sol rouge et sableux était couvert de pins et de chênes, avec quelques cornouillers çà et là. Charlotte aimait tellement cet arbre lorsqu'il était en fleurs que Gamble en avait planté tout autour de la maison, ainsi que quelques massifs d'azalées et deux superbes magnolias. Les cornouillers et les azalées étaient sans doute déjà fleuris.

Et puis, bien sûr, il y avait les rosiers, aussi luxuriants et éclatants qu'elle-même était fragile. Si la vie avait été plus généreuse avec elle, Charlotte aurait été aussi vibrante que ces fleurs sensuelles.

Mais le destin ne lui avait pas accordé autant de chance.

Alors qu'il approchait du virage d'où on pouvait voir la maison, il freina brusquement, envahi par une terrible appréhension.

Sa respiration s'accéléra. Serrant les doigts de toutes ses forces, il appuya son front contre le volant.

Pendant un long moment, il n'entendit que les battements de son cœur. Puis il perçut le mugissement d'un train dans le lointain. Il aurait voulu monter dans cette machine, laisser derrière lui tous les sentiments sombres et violents qui se déchaînaient dans son cœur en dépit de ses efforts pour les repousser.

Sur une impulsion, il fit demi-tour et repartit à toute allure en sens inverse.

Mais pas question de retourner dans la maison de sa mère. Et il n'avait pas envie non plus de parler avec ses frères et sœurs. Il n'y avait qu'un seul endroit en ville qui ne lui rappelait aucun souvenir douloureux : un établissement où il était rarement entré, tout d'abord parce qu'il était trop jeune, et ensuite parce qu'il était marié avec Charlotte et n'éprouvait pas le besoin d'aller se distraire dans ce genre de lieu.

Le bar de Skeeter.

Gamble ne buvait pour ainsi dire jamais. Il avait instinctivement évité l'alcool quand la mort de Charlotte l'avait plongé dans le chagrin. Chercher son salut dans le whisky, c'était prendre le risque de ne jamais refaire surface.

Mais ce soir, il n'avait nulle part où aller. Alors, le bar de Skeeter serait le havre idéal.

Jézabel remarqua le bel inconnu dès qu'il franchit le seuil de son établissement. Il y avait quelque chose d'étrange dans la façon dont il traversa la salle pour aller se caler dans une banquette sombre, à l'écart. Il semblait en proie à une nervosité proche de la colère.

Cet homme allait mal.

Mais il était incroyablement beau.

Fascinée, elle s'apprêta à aller prendre sa commande.

— Tu ne connais pas ce type, Jéz. Fais attention, murmura Darrell.

Apparemment, son barman avait eu la même impression qu'elle : bourré de charme, l'inconnu irradiait aussi le danger.

— Je suis toujours prudente, rétorqua-t-elle en passant devant son ami.

Rien ni personne n'avait encore pu lui ôter son assurance. Quand il s'agissait des hommes, elle savait y faire.

— Que puis-je vous servir ce soir ?

— Une bière, dit l'étranger sans lever les yeux. Et un verre de whisky.

— Pression ?

— M'en fous.

Il tapota du bout du doigt sur la table.

— Et pour le whisky, du Jack Black ?

— N'importe quelle marque fera l'affaire.

— Vous voulez manger quelque chose ?

— Non.

Elle marqua une pause, puis renonça à lui demander ce qui n'allait pas. La plupart des gens accordaient une certaine importance à la marque de leur whisky. Soit ce client-là avait l'esprit ailleurs, soit il n'avait pas l'habitude de boire. Dans tous les cas, il avait besoin qu'on veille sur lui. Et peut-être même qu'on le surveille.

— Je vous apporte tout ça.

Elle revint tout de suite, déposa un dessous de verre sur la table, puis servit la chope de bière et le verre de whisky.

— Skeeter ne faisait pas tant de chichis, fit remarquer l'inconnu.

Puis il se rembrunit, comme s'il regrettait d'avoir trop parlé.

— J'ai apporté quelques changements, en effet.

— Pourquoi ?

— Skeeter m'a demandé de tenir le bar.

Elle se prépara à entendre les plaisanteries habituelles. Au lieu de quoi, l'homme darda sur elle un regard sombre.

— Où est-il ?

— Vous êtes un de ses amis ?

— Non. Je ne venais jamais.

L'homme s'assombrit encore.

— Pourquoi ? demanda Jézabel.

Il ne répondit pas, mais ses doigts se crispèrent sur la chope de bière.

— Désolée, reprit-elle. On s'habitue à entendre les gens vous raconter leurs histoires.

— Je vous épargnerai la mienne.

On l'avait rarement congédiée aussi sèchement. Pas du tout le genre de réaction que les hommes avaient d'ordinaire avec elle. Mais elle n'allait pas se plaindre.

— Je vous ouvre une ardoise ?

Il ne répondit pas. Le silence s'éternisa et elle s'apprêta à répéter la question.

Mais il lui lança un regard rapide, baissa les yeux de nouveau et marmonna un « oui » presque inaudible.

Une fois de plus, elle songea à s'asseoir pour lui demander ce qui n'allait pas, mais, au même instant, une querelle éclata autour de la table de billard.

— Je reviens, dit-elle.

Il valait mieux qu'elle contrôle la situation avant que Darrell n'intervienne et ne brise quelques côtes.

Skeeter avait donc pris cette fille pour le remplacer ?

Gamble la regarda traverser le bar. Une bombe sexuelle. Pas du tout son genre, mais elle avait tout ce qu'il fallait pour faire perdre la tête à un homme. Avec ses bottes, elle devait approcher d'un mètre quatre-vingts. Ses hanches moulées dans un jean étaient rondes et sensuelles. Son débardeur rouge laissait apercevoir des courbes appétissantes. Une vraie déesse. Ajoutez à cela de longues boucles noires. Et des jambes qui n'en finissaient pas.

Et surtout, il y avait cette voix. Rauque, follement sexy. Bon sang, comment une femme pareille avait-elle atterri à Three Pines, dans le bar de Skeeter ?

Il prit le verre de whisky, avala l'alcool d'un trait, puis s'attaqua à la bière.

Et grimaça. Aucun de ces breuvages ne pourrait chasser la nervosité qui s'était emparée de lui. Il avait envie de sauter dans la voiture de Noah et de rouler à tombeau ouvert pour échapper à cette ville où les souvenirs le torturaient.

— Nom de D..., Jézabel, c'est lui qui a commencé ! braïla un des clients.

— Cela fera quatre dollars, Chappy. Tu comptes aller jusqu'à huit ?

Jézabel. Le nom lui allait comme un gant. Aucune difficulté à imaginer les hommes tombant à ses pieds, comme devant cette reine séductrice de la Bible.

Pour le moment, les deux qui s'apprêtaient à en venir aux mains baissaient le nez, tels des chiots réprimandés par leur maître.

Sourcils froncés, Gamble regarda ce qu'elle désignait du doigt. Le barman poussa une grosse jarre en

céramique sur le comptoir. Chappy Martinez, que
Gamble connaissait depuis qu'il était gamin, s'approcha
en traînant les pieds et fourra une poignée de billets
à l'intérieur.

— Toi aussi, Joe Mack, ordonna la jeune femme.
Je t'ai entendu.

Le ton était aussi impérieux et impérial.

Gamble se demanda ce qui était inscrit sur l'éti-
quette de la jarre. Il lui poserait la question lorsqu'elle
reviendrait vers lui.

Un coup d'œil circulaire lui confirma que d'autres
changements avaient été effectués. Le sol n'était plus
incrusté de crasse et les lambris bon marché avaient été
repeints. L'ensemble était tel que dans son souvenir,
mais l'aspect sale et miteux avait disparu.

Tout à coup, il crut avoir la berlue. Mon Dieu. On
avait accroché une fougère dans un angle de la salle. Il
n'y avait qu'une seule explication : Skeeter devait être
mort. S'il ne l'était pas, il tomberait raide en apprenant
qu'elle essayait de transformer le tripot le plus mal
famé de la région en respectable salon de thé.

Il finit sa bière et se rendit compte qu'il était un peu
étourdi. En fin de compte, il ferait sans doute mieux
de manger. Mais avant même qu'il ait pu lui faire
signe, elle surgit à côté de lui avec une autre chope
et une assiette d'oignons frits.

— Vous avez dit que vous n'aviez pas faim, mais
il commence à pleuvoir et je ne veux pas que vous
repartiez ivre. Il faut vous remplir l'estomac.

LE PRINTEMPS DES PROMESSES

— C'est un bar ici, ou la soupe populaire ? Et où diable est passé Skeeter ? En plus, comment vous savez que je n'ai pas mangé ? Merde, à la fin…

Elle arqua un sourcil et soupira.

— Vous êtes nouveau, alors ça passera pour cette fois.

— De quoi parlez-vous ?

Elle désigna la jarre d'un geste du menton.

— Pas de jurons ni de grossièretés. La première fois, ça vous coûte un dollar et la somme est doublée à chaque incartade. Mais chaque soir je remets les pendules à zéro. Comme ça, tout le monde peut se racheter.

Muet de stupeur, il recula sur son siège pour la dévisager.

Elle haussa les épaules, faisant tressauter ses lourdes créoles en or.

— C'est le règlement.

Gamble ne put réprimer un petit rire incrédule.

— C'est une blague ?

— Non.

— Et si je ne suis pas d'accord ?

— Vous payez ou vous sortez.

— Mais c'est abusif ! C'est du vol de grand chemin !

Une lueur de malice brilla dans les yeux vert émeraude de la jeune femme.

— Je suis chez moi, j'impose les règles qui me plaisent.

— Skeeter doit se retourner dans sa tombe.

— Il n'est pas mort.

Une ombre passa dans son regard quand elle prononça ces mots.

— Alors, où le cachez-vous ? Il sait ce que vous avez fait de son bar ?

— Il me fait entièrement confiance.

— Mais vous… vous avez… *nettoyé* ! s'exclama-t-il avec un large geste de la main. Et suspendu cette foutue fougère.

Jézabel tendit la main.

— Ce sera un dollar.

— Mettez-le sur mon ardoise, rétorqua-t-il en croisant les bras d'un air buté.

— Désolée. Pour la cagnotte, je ne fais pas crédit.

— Je suis sûr qu'on ne vous laisse pas beaucoup de pourboires. Avec une attitude pareille…

Elle prit une longue inspiration et posa la main sur sa hanche. Il fut tenté de toucher ses courbes voluptueuses.

— Vous vous trompez, dit-elle d'un air amusé.

Gamble laissa échapper un rire. Depuis quand n'avait-il plus eu envie de rire ? Il prit son portefeuille, en sortit un dollar, et fit mine de se lever. Mais elle lui prit le billet des mains.

— Laissez, je le ferai pour vous en allant commander votre hamburger. Vous l'aimez à point, je suppose ?

— Je n'ai pas…

Les mots s'éteignirent sur ses lèvres. Il avait vidé son assiette sans même s'en rendre compte. *Pas faim…*

— Vous êtes une drôle de bonne femme.

— Je sais. Darrell, un hamburger ! lança-t-elle en traversant la salle d'une démarche balancée.

Gamble sentit la tête lui tourner. Et maintenant, il n'était pas sûr que ce soit à cause de la faim.

Jézabel sourit tout en bavardant avec les habitués.

Le chagrin avait planté ses griffes dans le cœur de cet homme bien avant qu'il ait franchi le seuil du bar. Pourtant, elle avait réussi à le faire rire.

Il était sexy et malheureux… elle ne connaissait pas de cocktail plus irrésistible.

« Ni plus dangereux, Jézabel, lui souffla la voix de la raison. Il a des yeux à tomber à la renverse, une bouche de bourreau des cœurs. Tu cherches les ennuis. »

Sans doute. Mais il n'y avait pas de mal à flirter un peu. C'était amusant et, de toute évidence, l'inconnu en avait grand besoin.

En outre, ce n'était pas tous les jours qu'un homme avec des yeux pareils entrait dans le bar de Skeeter. Dieu seul savait quand l'occasion se représenterait.

— Le hamburger est prêt ! cria Darrell depuis la cuisine.

Elle alla chercher le plat.

— Je le lui apporte, proposa Darrell.

— Darrell, je n'ai pas besoin d'un garde du corps.

— On ne sait jamais, répliqua son ami en lançant à l'inconnu un regard noir.

— Il est seul, c'est tout.

— Et toi, tu ne l'es pas ?

Jézabel écarquilla les yeux.

— Bien sûr que non.

— Je ne veux pas être indiscret, Jéz, seulement il y a presque un an que tu es là et personne ne sait vraiment qui tu es ni d'où tu viens. Ce n'est pas mes affaires, d'accord, mais je ne t'ai jamais vue avec quelqu'un en dehors de ce bar.

— Je rends visite à Skeeter.

— Ne sois pas idiote.

— Pour l'instant, je ne veux pas d'homme dans ma vie. Je n'ai pas à m'expliquer là-dessus.

— Cela va sans dire. Tu peux m'expliquer quand même ?

— Le hamburger est en train de refroidir.

Sur ces mots, elle fit mine de ressortir, mais Darrell la retint par le bras.

— Chappy a l'air de connaître ce gars. Et Louis aussi. Je vais les questionner.

Jézabel secoua la tête, à la fois attendrie et agacée par la sollicitude de Darrell.

— Darrell, je n'ai pas besoin d'un papa. Et je ne vais pas m'enfuir avec ce type. Je veux juste lui apporter son dîner.

— N'empêche, je le tiens à l'œil.

Jézabel sourit. Décidément, même si Darrell avait bon caractère, il lui arrivait de se montrer extrêmement...

— Tu es vraiment un ami. Merci de t'inquiéter pour moi.

Elle tourna les talons et acheva par-dessus son épaule :

— Mais si tu veux mon avis, quelqu'un ici a besoin d'une bonne nuit de sommeil. Tu peux partir plus tôt, si tu veux. Je rangerai tout.

— Peut-être. Si ton client ne s'attarde pas trop.

— Mon cœur, s'il s'en va, c'est que je ne sais plus y faire.

Chapitre 3

Cela faisait maintenant deux heures que Gamble, affalé sur la banquette, laissait son esprit divaguer. De temps à autre, quand le service ralentissait un peu, Jézabel venait s'asseoir avec lui et lui parlait des habitués. Il n'avait jamais vu une femme flirter avec autant de subtilité.

L'appétit de vivre dont elle faisait preuve avait réussi à chasser l'humeur maussade de Gamble et à lui faire éprouver une légèreté surprenante. A Manhattan, il s'était enfermé dans la solitude, domptant aussi fermement que possible les sentiments qui avaient manqué l'anéantir après la mort de Charlotte. Il n'essayait pas de rencontrer du monde — qui aurait pu apprécier sa compagnie ? — et ne tenait le coup que par un effort de volonté, traversant l'existence comme un somnambule, tout en se demandant pourquoi il persistait à vivre. Seule la pensée de sa famille le maintenait en vie — mais il avait fallu qu'il quitte Three Pines pour recommencer à respirer.

La peinture était son seul exutoire, le seul moment

où il laissait son existence vide se colorer un peu. Mais même à ces moments-là, il avait l'impression de regarder un étranger recréer sur la toile un monde de tendresse à jamais perdu pour lui dans la réalité.

Car les seules émotions qu'il autorisait à faire surface dans le quotidien étaient les plus sombres. Alors, l'émergence de la légèreté sur ses toiles ne cessait de le déconcerter.

Tout comme l'appétit qu'il sentait resurgir en ce moment même et qu'aucun hamburger ne pourrait satisfaire.

La façon qu'avait cette fille de passer le bout de la langue sur ses lèvres le mettait en transe. Et elle ne semblait même pas le faire exprès.

A moins que... Avec ce genre de bouche et ce corps tout en rondeurs, comment aurait-elle pu rester inconsciente de l'effet qu'elle avait sur les hommes ?

Cependant, quelles qu'aient été ses intentions, Gamble lui était reconnaissant de l'avoir distrait un moment de ses idées noires.

Et maintenant qu'il s'était reposé et restauré, qu'allait-il faire de sa carcasse ? Levi avait promis de l'appeler si le moindre changement survenait. Mais juste pour être sûr que tout allait bien, il avait quand même téléphoné à l'hôpital. Le message des médecins avait été rassurant et on lui avait conseillé de prendre une bonne nuit de sommeil. C'était tout le problème.

Il n'avait aucune envie d'aller au cottage, ou chez sa mère. Il aurait pu camper chez Levi, mais celui-ci avait certainement une journée de rendez-vous le lendemain, et Gamble ne voulait pas débarquer en pleine nuit au risque de le réveiller. Et il n'y avait rien à Three Pines qui ressemblait, même de loin, à un motel.

Aussi demeura-t-il recroquevillé sur la banquette, tandis que les autres clients quittaient le bar les uns après les autres.

Chappy fut un des derniers à partir et s'arrêta en passant près de lui.

— J'ai appris ce qui s'était passé. Comment va ta mère ?

— Elle tient le coup.

— C'est quelqu'un, tu sais.

— Ce n'est pas moi qui te contredirai.

Chappy se balança d'un pied sur l'autre, comme s'il avait eu envie d'en dire plus, mais il finit par hocher la tête et déclarer banalement :

— Bon, il est temps de rentrer. Content de t'avoir vu, Gamble.

— Moi aussi, Chappy.

Là, saisi par un accès de nervosité, Gamble fut sur le point de lui emboîter le pas. Puis il se ravisa à la perspective de devoir faire la conversation. Il s'était accoutumé à l'anonymat de Manhattan et à l'activité qui régnait dans la grande ville, et ne se sentait pas prêt à affronter les souvenirs, que ce soit les siens ou ceux des autres.

S'il se livrait, les gens diraient qu'il avait perdu la tête.

Et ils n'auraient peut-être pas tort. Parfois, il avait l'impression d'être à moitié fou. La douleur n'était sans doute plus aussi vive, mais il était loin de l'avoir totalement surmontée, comme l'avait prouvé la rencontre avec Hélène.

Et rien ne pourrait la dissiper.

Charlotte était le grand amour de sa vie. Et elle était morte en pensant qu'il était en colère contre elle. Après cela, comment un homme pouvait-il recouvrer la paix intérieure ? Il ne la méritait pas.

Il jeta un coup d'œil autour de lui et s'aperçut que le barman escortait le dernier client, ivre, jusqu'à la porte et sur le parking. Jézabel ramena un plateau chargé de verres vides sur le comptoir. Voilà, le bar était maintenant déserté…

A cet instant, contre toute attente, un homme vêtu de cuir noir et bardé de chaînes métalliques sortit des toilettes et se dirigea droit sur la jeune femme. Et Jézabel ne le vit que lorsqu'il la coinça contre le comptoir.

Gamble n'entendit pas les quelques mots échangés, mais le comportement de l'inconnu lui déplut. Et l'homme avait beau ressembler à une outre remplie de bière, il faisait quand même une trentaine de kilos de plus que la serveuse.

Au moment où le client passa le bras autour de la

taille de la jeune femme, qui chercha vainement à se dérober, Gamble décida de se lever.

— Hé, toi !…, lança-t-il.

L'homme se retourna et darda sur lui des yeux noirs mauvais.

— La ferme.

Gamble lui agrippa l'épaule, le rejeta en arrière et s'interposa entre Jézabel et lui. Une force obscure le poussa à relever le défi que l'inconnu venait de lui lancer.

— Fais-moi taire, si tu peux.

L'homme empestait l'alcool.

— De quoi tu te mêles ? Cette pute n'est pas à toi.

Avec une vivacité inattendue, il lança le poing et atteignit Gamble à la tempe.

Celui-ci était encore engourdi par l'alcool qu'il avait ingurgité. Il ne parvint pas à esquiver le coup, mais il en renvoya un autre dans le ventre de son adversaire. L'homme chancela et Gamble lui assena un gauche au menton.

L'inconnu tomba comme une masse.

Gamble se pencha au-dessus de lui et rétorqua entre ses dents :

— Ce n'est pas une pute.

L'autre le regarda en clignant les paupières, abasourdi.

Le plateau heurta bruyamment le comptoir et les

verres s'entrechoquèrent. Gamble pivota sur lui-même, prêt à rattraper Jézabel dans sa chute.

Mais celle-ci le dévisageait d'un air narquois.

— J'aurais pu me débarrasser de lui, vous savez. Ce n'est pas la première fois que j'ai affaire à un ivrogne.

Désarçonné, Gamble fronça les sourcils.

— Vous n'aviez pas les mains libres. Vous voulez que je vous fasse des excuses ?

L'expression de la jeune femme se radoucit.

— Non. Je veux juste vous remercier. C'est… sympa. Il y a tellement longtemps que je me débrouille seule.

Elle fit un pas vers lui et demanda :

— Comment va votre tête ?

— Mieux que la sienne, répondit-il, souriant malgré lui.

Elle lui rendit son sourire.

Le type allongé sur le sol émit un grognement de douleur.

— Je vais le faire sortir, déclara Gamble en soulevant l'homme inanimé.

Sur ces entrefaites, le barman réapparut dans la salle.

— Que se passe-t-il ?

— Ce monsieur est venu à mon secours, Darrell.

Elle avait un ton bizarre, comme si elle voulait lui communiquer quelque chose au-delà des mots.

— Désolé, Jéz.

58

— Tu étais occupé.

— J'ai cru que Manny était le dernier.

— Ce type était dans les toilettes, expliqua Gamble.

Le géant haussa les épaules avec désinvolture.

— Bon. Je vais lui donner un coup de main.

Et comme si l'ivrogne n'avait pas pesé plus lourd qu'une plume, il le hissa sur son épaule et l'emporta à l'extérieur.

Gamble le suivit des yeux, stupéfait.

— Waouh…

Jézabel eut un petit rire amusé.

— Oui. Darrell est un phénomène.

Gamble reporta son attention sur elle.

Elle soutint son regard.

La température sembla soudain augmenter sensiblement.

Jézabel finit par briser le silence.

— Vous… voulez de la glace pour votre tête ?

Il se demanda si c'était le coup ou bien le parfum de la jeune femme qui l'avait un peu étourdi.

— Non, ça va.

Ils demeurèrent figés, l'un en face de l'autre. Gamble sentait qu'il était temps de partir, mais il n'en avait aucune envie.

— Vous voulez un coup de main ? proposa-t-il en lançant un regard circulaire dans la salle. Il est tard.

Il perçut un instant d'hésitation chez elle, comme

si elle était tentée de dire oui, et crut sentir passer entre eux un courant électrique.

— Pas plus tard que d'habitude, répondit-elle doucement.

Gamble ne savait pas trop ce qui se passerait s'il insistait pour rester. Ne savait pas trop non plus de quoi il avait envie.

Sans le vouloir, Darrell trancha pour lui. Car lorsqu'il rentra, ils s'écartèrent brusquement l'un de l'autre, mal à l'aise, presque coupables.

Jézabel se mit à empiler les chaises sur les tables. Darrell alla l'aider, tout en discutant à mi-voix avec elle.

Finalement, le géant vint vers Gamble. Ses yeux semblaient lancer des éclairs.

— Je vous remercie d'avoir assommé ce salopard, Jézabel n'est pas toujours aussi débrouillarde qu'elle le pense. Mais je vous préviens, si vous touchez à un cheveu de sa tête, je vous tue.

Gamble se figea. Comme il lançait un coup d'œil à Jézabel, il la vit secouer la tête avec agacement.

— Darrell, si tu ne la fermes pas sur-le-champ, tu es viré, dit-elle.

Le géant ricana.

— Ce n'est pas toi qui m'as embauché, tu ne peux pas me renvoyer.

— Alors, j'irai voir Shirley.

Darrell leva les yeux au ciel et ébaucha un sourire.

— D'accord, d'accord, je m'en vais.

Mais il marqua une pause et se pencha vers Gamble pour ajouter :

— C'est bien parce que Chappy et Louis se portent garants de vous. Sinon, Jéz aurait pu dire ce qu'elle voulait, je serais resté.

— Je ne sais pas de quoi vous avez peur, mais c'est bon, j'ai reçu le message.

— Bien.

Le géant hocha la tête d'un air approbateur et sortit, laissant Gamble planté debout au milieu de la salle. Maintenant que le bar était vide, et qu'il était seul avec Jéz, la tension entre eux semblait s'intensifier.

— Ignorez-le, conseilla Jézabel en commençant de nettoyer le sol. Il me prend pour une sorte de fleur fragile, ou je ne sais quoi.

Elle s'exprimait avec désinvolture, comme si elle n'avait pas remarqué l'atmosphère étrange qui s'était imposée tout à coup.

Gamble répondit sur le même ton anodin.

— Comparé à lui, n'importe qui aurait l'air fragile. Mais je peux faire ça, si vous voulez, ajouta-t-il en tendant la main pour prendre le balai. Vous avez sûrement des choses plus intéressantes à régler.

Elle s'interrompit et le regarda.

— Pas la peine d'essayer de vous faire bien voir. On se plaît, c'est évident, n'est-ce pas ?

— C'est un peu direct…

— Il vous faut du romantisme ?

— Vous avez un fameux toupet, non ?

Elle arqua un sourcil et reconnut :

— C'est vrai, je n'ai pas froid aux yeux. Vous voulez en profiter ?

Elle posa un doigt sur son torse.

Il sentit le sang battre dans ses tempes. Bon sang. Après tout, ils étaient adultes. Alors, Gamble lui passa un bras autour du cou et lui effleura les lèvres.

Elle émit un léger gémissement, comme un ronronnement et, presque aussitôt, elle passa le bout de la langue sur les lèvres dures de Gamble. Puis elle ouvrit les yeux et le regarda intensément.

Alors, il sentit toute pensée cohérente l'abandonner. Il se pencha sur la bouche de Jézabel, l'embrassa, et elle répondit sans réserve à son étreinte. Pendant quelques secondes, ils demeurèrent ainsi, étroitement enlacés.

Avant qu'elle ne pose la main sur le torse de Gamble et le repousse gentiment.

— Passez le balai, pendant que je finis de nettoyer le comptoir.

Elle se déroba avec la grâce et la sensualité d'un chat. Gamble accueillit ce répit avec un vague soulagement. Dans une heure, il aurait sans doute oublié cette brusque bouffée de désir.

Puis son regard se posa sur les hanches de la jeune femme.

Mettons dans deux heures. Minimum.

Et tandis qu'il se mettait à balayer la salle et que le

juke-box jouait un nouvel air, un sourire flotta sur ses lèvres.

Jézabel n'était pas loin de perdre son aplomb. Elle n'avait pas la langue dans sa poche, mais en réalité il y avait longtemps qu'elle n'avait plus d'homme dans sa vie. Et elle avait décidé que la prochaine fois qu'elle ferait l'amour, ce serait avec quelqu'un qui comptait vraiment.

Mais cet inconnu lui était venu en aide sans hésiter. La solitude et la souffrance se lisaient dans son regard, faisant écho aux sentiments qu'elle éprouvait elle-même. Qui était-il vraiment ? Elle l'ignorait. Mais les habitués du bar, qui se montraient toujours très protecteurs avec elle en dépit des chamailleries, semblaient non seulement le connaître, mais l'apprécier. Elle ne leur avait pas posé de questions sur le nouveau venu, et ils se tenaient tous à distance respectueuse de cet homme, cependant il était clair qu'ils l'estimaient et ne le craignaient pas.

D'autre part, si Jézabel avait commis bien des erreurs dans sa vie, la nature humaine avait peu de mystères pour elle.

Elle tressaillit en sentant sa main sur son épaule.

— Dansez avec moi, dit-il.

— Danser ? répéta-t-elle, étonnée.

— Oui. Vous savez ce que c'est ?

En dépit de son ton badin, il était évidemment nerveux.

— Dites, vous avez un nom ? demanda-t-elle.

L'homme parut surpris.

— Personne ne vous l'a dit ?

— Je n'ai rien demandé. Chacun a droit à une vie privée.

— Vous ne connaissez pas les petites villes ?

— J'apprends à les connaître. Moi, je m'appelle Jézabel Hart.

Elle tendit la main, bien que le geste puisse sembler un peu décalé dans des circonstances qui n'avaient rien de conventionnel. En retour, il lui serra la main avec une délicatesse à laquelle elle n'était pas habituée.

— Gamble Smith, dit-il gauchement.

Ils demeurèrent un moment figés, mal à l'aise.

Et tout à coup, tout lui revint. *Gamble Smith*. L'homme qui avait construit la maison qu'elle convoitait. Pour la femme qu'il avait perdue alors qu'elle était enceinte.

Seigneur. Rien d'étonnant à ce qu'elle ait été frappée par sa tristesse. Son histoire était devenue une légende dans le pays… Tout le monde savait qu'il s'était enfermé dans cette maison pendant des mois, avant de finir par quitter la ville.

De toute évidence, il n'avait pas encore surmonté son chagrin.

Et ce n'était pas le moment de faire allusion à l'achat du cottage.

En plus, à ce qu'elle avait entendu dire, sa mère

était à l'hôpital, en ce moment. Une femme formidable. Jéz avait été plutôt fraîchement accueillie par les autres femmes, quand elle était arrivée à Three Pines. Marian, elle, avait fait exception. Et si leurs routes ne s'étaient pas croisées souvent, Marian s'était toujours montrée polie, serviable, et même chaleureuse à chaque rencontre.

Gamble Smith devait être fou d'inquiétude. Apparemment, malgré sa solitude et sa souffrance, il n'avait qu'une envie, c'était de tourner les talons et de la laisser là.

S'il avait besoin d'un moment de répit, elle était toute prête à le lui accorder.

— Contente de vous connaître, Gamble. Alors, vous voulez toujours danser ?

Il la considéra avec un brin de suspicion, comme s'il cherchait à déceler du dédain, ou même de la pitié sous le ton anodin.

Mais il ne vit que du défi dans ses prunelles, et elle continua de le fixer d'un petit air mutin. Il répondit dans un soupir :

— Oui. Je veux danser.

Sur ce, il l'enlaça avec raideur, établissant une distance prudente entre eux.

Cet homme souffrait et sa blessure était profonde, songea alors Jézabel. Il la tenait comme s'il n'avait pas approché une femme depuis des années.

Jézabel était habituée à repousser les avances, pas à en faire elle-même. Mais elle éprouva une telle compassion pour Gamble qu'elle se rapprocha légèrement de lui, comme si elle voulait poser la tête dans le creux de son cou. C'était probablement tout ce qu'il pourrait admettre d'une femme.

Tout d'abord, il se figea, mais elle ne bougea plus et il se détendit de nouveau. Elle eut l'impression que le temps s'arrêtait cependant que son propre corps réagissait au contact de cet homme à la haute stature et à la musculature puissante. Il était beaucoup plus grand et plus fort qu'elle, ce qui était une expérience nouvelle, pour elle qui était grande et qui avait appris à tourner cette situation à son avantage.

Mais cette fois…

Elle ne savait que penser de Gamble Smith. Il semblait passer de la nervosité, et de la colère, à la tristesse en quelques secondes. Il était solitaire, mais un homme qui embrassait comme ça n'était nullement condamné à la solitude. Elle avait l'impression de devoir manipuler de la dynamite. Il ne fallait pas rendre la situation plus difficile pour lui, et c'était pourtant inévitable.

— Vous arrivez à vous détendre, parfois ? J'ai l'impression d'entendre tourner les rouages de votre cerveau.

Désarçonnée, Jézabel leva vivement la tête.

— Je *suis* détendue.

— Vous êtes restée debout combien d'heures, aujourd'hui ?

— Qu'est-ce que ça peut vous faire ? répliqua-t-elle avec un froncement de sourcils.

— Je me disais que vous aviez peut-être envie de vous reposer.

Il s'inquiétait pour elle ? Vraiment ? Elle avait intérêt à se méfier, dans ce cas, et à ne pas se laisser emporter par son imagination.

— C'est une suggestion ? demanda-t-elle avec un sourire malicieux.

Il eut l'air étonné.

— Si c'en était une, ça marcherait ?

Quand c'était possible, Jézabel disait toujours la vérité.

— Vu la façon dont vous embrassez, ça pourrait marcher. Vous êtes prêt à passer une nuit torride, cow-boy ?

Elle s'attendait qu'il accepte sans hésiter, mais sa réaction la surprit.

— Je ne sais pas, dit-il d'un ton vague, en regardant par-dessus son épaule.

Elle le serra de plus près.

— Nous allons voir.

Se plaquant contre son torse, elle se haussa sur la pointe des pieds et l'embrassa.

Il eut une brève hésitation, puis répondit à son baiser.

Et Jézabel chavira...

Gamble sentit la tête lui tourner. Il tenait dans ses bras une créature de rêve aux courbes voluptueuses, toute prête à s'abandonner. Aucun homme n'aurait pu résister et il sentit sa raison le lâcher…

Pourtant, en toute honnêteté, il ne pouvait recommencer ce qu'il avait fait avec Kat, répéter la même erreur. Aussi, il interrompit leur baiser et repoussa Jézabel pour la prévenir clairement :

— D'accord, mais à condition que ça reste uniquement sexuel.

— Je te demande pardon ?

Elle se ressaisit avec difficulté. Une lueur étrange passa dans son regard vert — sans doute ses paroles l'avaient-elles blessée. Mais elle sourit presque aussitôt.

— Bien sûr.

Puis elle leva le menton et demanda crânement :

— Pourquoi ? Vous avez l'habitude de voir les femmes tomber amoureuses de vous au premier regard ?

Il eut un petit rire désabusé.

— Pas vraiment.

— Je n'ai jamais compris pourquoi les hommes croyaient être les seuls à apprécier un petit tour entre les draps, sans serments d'amour et tout le reste. Je ne suis pas une fleur délicate, Gamble, je vous l'ai dit.

Gamble considéra sa partenaire. Cette femme était l'opposé de Charlotte, qui avait été si douce et sentimentale. Mais décidé à ne pas penser à Charlotte ce soir, il considéra longuement la silhouette sculpturale de Jézabel.

— Vous me faites plutôt penser à une superbe fleur tropicale, toute en couleurs chaudes.

— Bien, avons-nous fini de discuter ?

Son sourire était plein de malice.

Et communicatif, avec ça. Le cœur plus léger qu'il ne l'avait eu depuis des semaines, Gamble sourit à son tour.

— Je crois que oui. Où en étions-nous ?

Il l'attira vers lui, effleurant à peine sa peau. Elle sentait merveilleusement bon. Et ses courbes sensuelles, sa longue chevelure offraient une tentation irrésistible. Le paradis.

— Je veux peindre ton portrait, murmura-t-il.

Il voyait déjà le rouge carmin et l'or se fondant sur la toile avec le bleu cobalt, et l'exacte nuance de vert qui rendrait les yeux de Jézabel stupéfiants de clarté.

Elle lui glissa une main dans les cheveux.

— Nous parlerons plus tard. Embrasse-moi. Il y a longtemps que ça ne m'est plus arrivé, ajouta-t-elle en se haussant sur la pointe des pieds pour se plaquer contre lui.

Enivré par cet aveu, il lui agrippa les hanches et la souleva.

— Noue tes jambes autour de moi.

— Je suis trop lourde.

— Non...

Il fit taire ses protestations d'un baiser, la prit dans ses bras et la porta jusqu'à la table la plus proche. Chaque pas intensifiait son désir. Il la posa sur la table et, se maîtrisant à grand-peine, déboutonna son chemisier en posant les lèvres sur la peau qu'il dénudait.

Avec un gémissement, Jézabel se renversa en arrière, lui offrant sa gorge, tandis que ses beaux cheveux noirs retombaient en cascade dans son dos. Gamble s'immobilisa pour la contempler. Elle était vraiment magnifique…

Il glissa une main dans sa poche, en se demandant avec une pointe d'angoisse s'il avait bien remis un préservatif dans son portefeuille, depuis sa dernière nuit avec Kat. Il le trouva et le brandit comme un trophée. Jézabel eut une moue déçue.

— Un seul ?

— Il faudra en profiter au maximum.

— Pas de problème, répondit-elle avec un sourire espiègle. Mais j'en ai d'autres, s'il le faut.

Elle l'aiguillonnait. Il allait mourir de désir. Par chance, elle savait être simple et naturelle. Comme si tout cela n'était qu'un jeu.

Il lui ôta ses bottes. Le jean suivit, et Gamble retint son souffle.

— Bon sang, Jézabel… Je mettrai un dollar dans la cagnotte, mais… merde, que tu es belle !

Il la contempla en silence. La simplicité de ses sous-vêtements de coton blanc ne parvenait pas à faire oublier la beauté excitante de son corps sensuel.

Dérouté, Gamble la vit croiser les bras sur ses seins et se lever brusquement.

— Qu'est-ce que tu fais ?

— Rien, dit-elle, le regard au loin.

Elle ferma les yeux et se mordit les lèvres.

— Réponds-moi. Qu'est-ce que j'ai fait de travers ?

Mais elle garda le silence et ramena les pans de son chemisier devant elle. Alors, il comprit. Avec une silhouette pareille, elle devait être sans cesse un objet de convoitise pour les hommes. Mais ce n'était pas parce qu'elle avait l'allure d'une déesse du sexe qu'elle était disposée à se comporter comme telle.

Ce qui expliquait aussi la lingerie de coton blanc.

Gamble lui écarta les mains et lui reboutonna lui-même son chemisier.

— Je suis désolé. Je suppose que les hommes sont en transe quand ils te voient ?

— La plupart d'entre eux ne regardent même pas mon visage. Ils s'arrêtent à la hauteur des seins.

Il lui souleva le menton.

— Ton visage est aussi beau que le reste, mais j'ai l'impression que tu as aussi une tête bien pleine. Ce n'est pas vrai ?

Elle soutint son regard, l'air méfiant.

— Qu'est-ce qui te fait penser cela ?

— Que fais-tu avec ce que tu récoltes dans la cagnotte ?

Elle haussa les épaules et se pencha pour ramasser son jean.

— Rien de spécial.

Gamble lui immobilisa les mains avant qu'elle puisse enfiler le pantalon.

— Je suis sûr que ce n'est pas vrai. Et pourquoi aurais-tu instauré cette règle, sinon ? Les types vont au bar pour boire et faire du scandale.

Elle secoua sa somptueuse chevelure et leva crânement le menton.

— Non, ils viennent parce qu'ils ont besoin d'une famille.

Il écarquilla les yeux, mais comprit tout à coup qu'elle avait mis en plein dans le mille.

— Nom de D…

— Tu me dois huit dollars.

— Non, répondit-il doucement. Je te dois aussi des excuses.

Elle se figea, puis marmonna en soupirant :

— C'est difficile de se mettre en colère contre toi.

— Ça ne l'est plus quand on me connaît un peu. Quelques femmes à New York pourraient te le confirmer.

Il marqua une pause et ajouta :

— Tu préfères que je m'en aille ?

Elle le regarda pendant quelques secondes en silence.

— Pas de problème, déclara-t-il en tournant les talons.

— Gamble…

Il s'arrêta sans se retourner.

— Quelquefois, le plus difficile, c'est juste d'être seul la nuit.

Il se crispa et rétorqua d'une voix sourde :

— Je n'ai pas besoin de ta pitié.

— Je ne parlais pas de toi. Pas seulement de toi.

Il l'entendit approcher, mais n'esquissa pas un geste. Elle se pressa contre son dos et l'enlaça. Il essaya d'ignorer les sensations qui l'envahirent, mais en vain.

— Tu peux partir, reprit-elle. Mais si tu restes, tu ne le regretteras pas. Je sais ce qui t'est arrivé et je n'essaierai pas de remplacer ta femme. Personne ne peut le faire.

Il déglutit et ferma les yeux, comme pour résister à la douceur de cette voix.

— Pars, dit-elle en reculant. Je ne te retiendrai pas.

Il se retourna et vit le visage tendu de la jeune femme, le désir qui allait au-delà du simple désir sexuel.

— Viens, dit-il en lui ouvrant les bras. Mais tu es prévenue. Je ne resterai pas longtemps ici et je ne m'attacherai plus jamais à une femme. Si tu acceptes ces conditions, alors ce soir il n'y aura que toi et moi. Rien d'autre. Pas de passé, pas d'avenir. C'est d'accord ?

Il attendit, certain qu'elle allait le mettre à la porte. Après tout, sa proposition était terriblement froide et ne visait qu'à la satisfaction de leurs sensualités. Il serait un amant attentif, lui donnerait tout ce qu'il avait à offrir. Mais ce n'était tout de même pas beaucoup.

Alors, soudain, il se sentit épuisé. Cette femme méritait mieux. Et lui aussi, sans doute, dans une autre existence. Mais il avait déjà connu le grand amour — le genre d'amour qu'on ne rencontre qu'une seule fois dans sa vie, et encore, si on a de la chance. Et il l'avait perdu.

Il détourna les yeux, mal à l'aise.

— Ça ne fait rien. A ta place, je n'aurais pas accepté non plus.

Elle lui posa une main sur le bras pour le retenir. Il la sentit s'abandonner doucement contre lui. Ses doigts glissèrent dans ses cheveux et elle attira sa tête vers elle.

Une onde de chaleur se propagea dans le corps de Gamble lorsqu'elle murmura de sa voix rauque et sensuelle :

— C'est d'accord.

Chapitre 4

Ils sortirent enlacés, par la porte de côté. Gamble avait besoin de sentir Jézabel contre lui pour ne pas s'enfuir, car lorsqu'elle avait fait allusion à Charlotte, il avait été à deux doigts de tout lâcher. Certes, son corps savait de manière absolue ce qu'il voulait, mais son esprit ne suivait pas.

Et son cœur ? Ce maudit organe persistait à survivre en dépit de ses multiples efforts pour l'étouffer. Et il était malheureux. Déchiré entre la culpabilité et un besoin fou d'échapper à la solitude, cette prison qu'il s'imposait lui-même. Craignant qu'un seul moment d'évasion soit si répréhensible qu'il devrait en subir les terribles conséquences. Etre puni peut-être à travers sa mère…

Il ralentit le pas malgré lui.

— Où allons-nous ?

— Je vais là, dit Jézabel en désignant une porte à l'arrière du bâtiment. Mais toi, tu t'en vas. Tu n'as pas envie de rester et je ne suis pas désespérée au point de m'agripper à toi.

Dans la lumière blafarde des réverbères, il vit les joues de Jézabel s'enflammer. Il eut honte de sa propre réaction.

— Non, je reste.

Sa voix était à peine audible. Il s'éclaircit la gorge et reprit :

— Je *veux* rester avec toi, Jézabel. Si tu veux bien de moi.

Elle ne fit pas un geste, lui laissant l'entière responsabilité de ce qui allait suivre. Et tout à coup, il se détendit. Ce n'était pas la même situation qu'avec Kat. Cette femme savait contrôler ses émotions. Avec Kat, l'amour avait été orageux, les étreintes houleuses et passionnées. Tout cela dissimulait une terrible vulnérabilité. Kat aurait voulu qu'il lui ouvre son cœur et son âme… ce qu'il ne pourrait plus jamais faire avec une femme. Toute la tendresse qu'il possédait était morte en même temps que Charlotte.

Tandis que Jézabel… Elle avait beau avoir une allure follement sexy et une attitude provocante, il devinait qu'elle savait se blinder. Elle pouvait peut-être offrir son corps, mais son cœur demeurait fermé à clé.

Ce qui pour lui était un soulagement. Il était certain que Jézabel saurait se protéger. Solitaire, mais elle n'avait besoin de personne. Et donc, elle ne constituait pas une menace.

Mais elle n'était pas obligée de rester seule tous les soirs — et lui non plus.

Alors Gamble repoussa définitivement ses appréhensions

et laissa son corps s'exprimer. Le sexe, c'était le seul langage qu'il partageait encore avec les femmes.

Il lui effleura le cou du bout de la langue, s'aventurant délicatement au creux de son épaule. Elle inspira violemment et passa les mains sous la ceinture de son jean. Gamble sourit et posa les lèvres sur sa gorge, entre ses seins, écartant doucement les pans de sa chemise.

Elle releva les mains, puis les laissa encore une fois retomber comme si elle renonçait à lutter. Elle murmura quelques mots indistincts, avec cette voix incroyablement érotique, et le corps de Gamble réagit aussitôt.

— Les clés, chuchota-t-elle en s'arc-boutant contre lui. Elles m'ont échappé.

Il aperçut l'éclat du métal sur le sol. Agrippant les hanches de la jeune femme d'une main, il se baissa pour les ramasser.

— Laquelle ?

Elle posa sur lui un regard éperdu qui lui enflamma les reins. Puis elle lui désigna une des clés et il l'introduisit rapidement dans la serrure, avant de poser de nouveau les yeux sur les lèvres enivrantes de la jeune femme.

Jézabel lui prit les mains et les posa sur ses seins ronds. Ronds et bien à elle, songea-t-il furtivement, avant de ne plus penser du tout.

Après cela, ils firent de leur mieux pour entrer sans que leurs corps perdent contact un seul instant. Gamble ne vit rien de ce qui les entourait. Il eut simplement la vague impression d'entendre le sifflement d'un chat et le frôlement des pattes d'un chien sur le sol. Il porta Jézabel jusqu'au lit qu'elle lui indiqua entre deux baisers dévorants, les jambes nouées autour de ses reins.

Il parvint à refermer la porte d'un coup de pied avant de se laisser tomber sur le lit avec elle. Et là, ils perdirent totalement la tête.

Il y eut des soupirs, des gémissements, des chuchotis… des doigts glissant sur des courbes voluptueuses, des caresses affolantes. Des lèvres viriles s'insinuant au plus secret, des boucles noires glissant sensuellement sur les muscles durs et tendus.

— Gamble, viens. Je t'en prie. Je ne peux plus…

Loin de céder à ses prières, il l'entraîna dans un irrésistible tourbillon. Elle finit par le renverser sur le matelas, s'assit à califourchon sur lui et l'aida de sa bouche à mettre le préservatif. Gamble sourit, charmé par cette femme qui lui réapprenait à jouer. Avec Charlotte, tout était toujours si grave…

Non. Non, ne pas penser à Charlotte…

Mais ce fut plus fort que lui. Jézabel remarqua sa réaction, s'interrompit, s'écarta.

Alors, furieux contre lui-même, il la coucha sous lui et la posséda d'un seul coup de reins. Charlotte était morte et il était vivant. Il n'y pouvait rien. Sa mère était blessée, sa propre vie était une odieuse comédie et…

Jézabel pleurait.

Désarçonné, il s'écarta.

— Hé…

Un telle expression se peignit sur le visage de la jeune femme qu'il ne sut en interpréter le sens. Il y avait de la détermination. Du désir. De la peine. Et bon sang… de la pitié aussi.

— Si tu oses me dire que tu es désolée pour moi, alors qu'on est en train de… je…

Elle l'interrompit, murmura :

— Non, ce n'est pas cela…

Il la fit taire d'un baiser. Toute idée de jeu s'évanouit alors. Ils s'étreignirent de nouveau, mais Gamble n'aurait su dire s'il voulait lutter contre elle ou contre lui-même.

Jézabel s'arqua, l'attira en elle, renouant ses longues jambes autour des reins de Gamble, et il renonça à lutter contre la vague de jouissance qui enflait en lui.

Plus tard, quand ses pensées s'éclaircirent, sa tête reposait sur les seins de la jeune femme et celle-ci lui caressait les cheveux. Pour une fois, son esprit était calme et serein.

Depuis quand n'avait-il connu un tel moment de paix ? de communion ? Un tel rayon d'espoir ?

C'était si bon. Trop bon.

Pour voir le visage de Jézabel, il aurait fallu qu'il bouge et il n'était pas sûr d'en avoir le courage. Il ne savait pas s'il devait lui demander pardon ou lui dire merci, s'enfuir comme un fou ou rester auprès d'elle.

Il hésitait encore lorsqu'il la sentit qui s'abandonnait et succombait au sommeil. D'une certaine façon, elle venait de décider pour lui : dès que sa respiration eut pris un rythme lent et régulier, il se dégagea doucement.

Les larmes avaient laissé des traces sur ses joues blanches et veloutées. Mais sa bouche, en revanche, esquissait un vague sourire.

Gamble demeura là un moment à la contempler. Etait-il juste un pauvre type ou le plus grand salaud que la terre ait porté, de fiche le camp ainsi en douce ?

« Bon sang, Charlotte... mais qu'est-ce que tu me trouvais ! » Comme toujours, il s'adressait à la femme au moment où il avait le plus besoin d'elle. Et comme toujours, c'était précisément à ce moment-là que son souvenir lui échappait. Soudain, en pleine détresse, il ne se rappelait plus ni le son de sa voix ni la douceur de son sourire, et bien d'autres choses encore devenaient fuyantes et floues.

Il fallait absolument qu'il trouve la force de peindre son portrait avant de la perdre tout à fait.

Tête basse, il quitta le lit de Jézabel le plus discrètement possible, rassembla ses vêtements et sortit à pas de loup, sans un regard derrière lui.

Ils n'auraient pas besoin d'autres préservatifs ce soir.

★
★ ★

Jézabel s'éveilla en entendant la porte se refermer. *Elle était au paradis.* Son corps était encore tout frissonnant de plaisir. Gamble Smith était un cocktail compliqué de puissance physique et de stupéfiante délicatesse. Il avait de longs muscles puissants, des mains d'artiste et un sixième sens surprenant quand il s'agissait de donner du plaisir à une femme.

Tout cela accompagné de zones d'ombre et d'une souffrance sourde qui vous brisait le cœur.

Elle roula sur le lit en soupirant et serra contre elle l'oreiller encore imprégné de son odeur, comme pour continuer de le cajoler. De le protéger.

Mais Gamble Smith n'était pas un enfant, ni un animal égaré comme Rufus ou Oscar, qu'elle pouvait ramasser dans la rue et accueillir dans sa vie. Comme si elle n'avait déjà pas assez à faire avec Skeeter et le bar…

De toute façon, Gamble n'avait pas envie que quelqu'un veille sur lui. Il avait été parfaitement clair sur ce point.

Pourtant, son corps disait tout autre chose. Il ne s'en était sûrement pas rendu compte, mais il s'était littéralement blotti contre elle… Elle croyait encore sentir son corps pressé contre le sien. Les sensations étaient encore vivantes en elle et sur sa peau.

Mais elle éprouvait aussi un peu de honte à la pensée

qu'il lui avait fait l'amour en partie parce qu'elle l'y avait poussé. Avait-il éprouvé de la pitié pour elle ?

Elle jeta rageusement l'oreiller sur le sol, faisant détaler Oscar. Pauvre petite bête... Aussitôt prise de remords, elle tendit la main vers le chat.

— Je suis désolée. Viens ici.

Mais Oscar lui tourna le dos, affichant un dédain typiquement félin.

— Je trouve que Gamble et toi avez beaucoup de choses en commun.

Au même instant, Rufus vint frotter contre sa main sa truffe froide et humide. Elle se tourna vers lui, attendrie.

— Et toi, tu es comme moi, n'est-ce pas ? Toujours en manque d'affection et prêt à le montrer. Allez, de toute façon, c'est une perte de temps de penser à un homme. Même si celui-là, il a vraiment besoin d'amour.

Aucun homme n'avait jamais manifesté le désir de vivre auprès d'elle. Cependant, tout au fond de son cœur, elle n'avait pas renoncé à découvrir l'être exceptionnel qui le lui demanderait. Et, étant donné ce qu'elle percevait de Gamble et de son passé, il aurait été suicidaire de flirter même de loin avec des rêves.

Elle jeta un coup d'œil au chat qui s'était installé à bonne distance pour faire sa toilette. Il était parfaitement sûr de lui, de la place qu'il occupait en ce monde et se moquait comme d'une guigne de ce que les autres pouvaient désirer.

Elle déposa un baiser sur la tête de Rufus.

— Nous devrions prendre exemple sur l'empereur Oscar.

Rufus lui lécha la joue et se blottit contre elle. Jézabel se mit à rire.

— Je sais, je sais. On ne nous changera pas, n'est-ce pas ? Heureusement que ce Gamble Smith doit quitter la ville bientôt. Espérons qu'il ne reviendra pas au bar avant son départ.

Elle se rembrunit. Qu'allait-il advenir de sa proposition d'achat pour le cottage, maintenant ?

« N'y pense plus, Jézabel, s'ordonna-t-elle. La solution ne viendra pas ce soir. »

Elle secoua la tête et se leva.

C'est alors qu'elle sentit un liquide couler sur ses cuisses... Cette sensation ne pouvait avoir qu'une seule explication...

Le préservatif s'était déchiré.

Chapitre 5

Et si j'étais…

Jézabel se laissa tomber sur une chaise et tenta de repousser le mot qui lui venait à l'esprit. En vain. Il s'imposa.

Enceinte.

Il y avait très peu de chances que cela se produise et elle aurait dû en être soulagée. Car quel que soit son désir d'avoir un enfant, elle n'avait pas de mari et donc ne pouvait envisager la venue d'un bébé. Etre parent unique, c'était sans doute très bien pour certaines, mais pas pour elle. Pas avec le passé qui était le sien.

Elle avait été abandonnée pendant des jours et des jours, avant que l'assistance publique ne la retire à la garde de sa tante, droguée, qui ne l'avait prise chez elle que pour encaisser les allocations. Après cela, personne n'avait voulu d'elle. Alors, que savait-elle de la maternité et de la façon d'élever les enfants ?

Pourtant, songea-t-elle, c'était si doux, *un bébé…* En dépit du fait que le moment était très mal choisi, elle ne pouvait s'empêcher de fondre de tendresse à cette idée.

Jézabel avait des souvenirs lointains et confus de l'époque où elle avait eu une vraie famille. Pendant cette période trop courte, elle avait été entourée d'amour. Et c'était ce qu'elle voulait pour l'enfant qu'elle porterait peut-être un jour. Un seul parent pouvait donner cet amour, bien sûr, mais la petite Jézabel avait connu la douceur de sa mère et la force de son père. Tous deux avaient contribué à créer une atmosphère merveilleuse pour la fillette qu'elle était à l'époque. Et elle tenait à ce que son enfant connaisse cela.

— Hé ! s'exclama-t-elle en se levant. Cela s'est passé il y a tout juste une heure et je pense déjà comme si un bébé était en route !

Elle alla préparer du café pour le petit déjeuner.

Gamble Smith était un drôle de séducteur. Il lui avait fait perdre la tête rien qu'en lui faisant une fois l'amour.

« Ça s'appelle coucher ensemble, dans notre cas », rectifia-t-elle.

Elle croyait encore sentir les cheveux épais et soyeux de Gamble sous ses doigts, lorsqu'il avait posé la tête entre ses seins. Il n'appréciait pas sa compassion et il était loin d'être faible, pourtant elle ne pouvait s'empêcher d'avoir envie de l'aider à guérir.

Rufus vint s'appuyer contre sa jambe comme il le faisait toujours. Elle lui caressa la tête en lui murmurant des mots affectueux, puis s'accroupit pour en faire autant avec Oscar. Là, balayant du regard le petit studio qu'elle habitait, elle essaya de trouver une place pour un berceau.

— Arrête ça ! s'ordonna-t-elle en se redressant. C'est complètement idiot. Tu n'es *pas* enceinte.

Mais une sorte de sixième sens lui soufflait le contraire. Elle ignorait à quel stade on pouvait faire un test de grossesse, mais son intuition lui disait que ce ne serait même pas nécessaire.

— Tu cherches les ennuis, marmonna-t-elle. Tu es folle.

Impossible pourtant de chasser cette idée de sa tête. Si bien que, maintenant, elle voulait plus que jamais acheter le cottage. Il lui fallait cette maison. Pas question d'élever un enfant dans un bar.

Jézabel s'accouda au comptoir de la cuisine et enfouit son visage dans ses mains. Mon Dieu, que tout était compliqué. Si c'était vrai, si elle était vraiment enceinte, elle serait obligée de le dire à Gamble un jour ou l'autre. Mais comment prendrait-il la chose ?

Pas bien. Elle en aurait mis sa main au feu.

Insisterait-il pour l'épouser, afin de subvenir…

— Non.

Elle frappa le comptoir du plat de la main.

— Le préservatif s'est déchiré il y a quelques heures, et tu te vois déjà mariée.

Elle se mit à arpenter la pièce. A chercher une réponse au problème. Elle avait commis beaucoup d'erreurs dans sa vie… lorsqu'elle avait quitté l'école, puis vécu dans la rue, traînant avec des gens peu recommandables... Mais elle était en train de se racheter. Et chaque pas en avant était le résultat d'une prudente réflexion. Le chemin qui l'avait sortie du cloaque de son passé n'avait pas été facile. Cependant, elle avait réussi à économiser l'argent pour acheter une maison, car elle avait été prévoyante.

Peut-être n'était-elle pas enceinte — à cette pensée, elle fut partagée entre le soulagement et le chagrin —, mais si elle l'était, il fallait qu'elle avance à pas de velours... Le terrain qui entourait Gamble Smith était un vrai champ de mines. La première chose à faire, c'était de rencontrer Levi pour savoir s'il avait transmis son offre d'achat à son frère, et quelle avait été la réaction de ce dernier. Qu'elle soit enceinte ou non, elle voulait cette maison. Celle-ci lui semblait l'endroit idéal pour vivre...

... Et élever un enfant qu'elle avait peut-être conçu la nuit dernière et qu'elle n'envisageait pas une seconde de ne pas avoir, ou d'abandonner à l'adoption.

D'ailleurs, par précaution, elle renonça au café qu'elle venait de se préparer et le jeta dans l'évier. A la place, elle se prépara une tasse de tisane.

Pendant qu'elle travaillait, son esprit continuait de bouillir. L'unique boutique de Three Pines, qui faisait office d'épicerie et de pharmacie, n'était pas encore ouverte. De toute manière, elle n'oserait jamais s'y rendre pour acheter un test de grossesse. Toute la ville serait au courant avant même qu'elle n'ait rempoché sa monnaie.

Et il était probablement beaucoup trop tôt pour avoir une réponse fiable. En revanche, elle pouvait se rendre chez Levi dans un moment, dès qu'il aurait ouvert pour ses consultations. Pour l'instant, elle ne tenait plus en place.

Pourquoi ne pas retourner visiter le cottage ? Contempler le lever du soleil sur le coteau.

Et rêver...

L'aube commençait de poindre lorsque Lily se dirigea vers l'une des trois serres de sa mère. Elle avait hâte de se rendre à l'hôpital pour constater par elle-même ce qu'on lui avait dit par téléphone. C'est-à-dire que l'état de sa mère était stable, mais qu'elle ne s'était pas encore éveillée.

L'infirmière avait ajouté que Gamble était auprès d'elle. Il avait passé la plus grande partie de la nuit à son chevet. Donc, leur mère n'était pas seule. Et elle étranglerait Lily de ses propres mains, si une seule de ses fleurs chéries dépérissait en son absence.

« Ce sont des bébés, avait toujours expliqué Marian Smith à sa fille. Elles sont complètement dépendantes de nous. Pour la nourriture, l'eau, la lumière. Il faut s'en occuper avec dévouement, Lily. Mes enfants ont grandi et les tiens ne sont pas encore venus au monde. Il n'existe donc aucune raison de ne pas veiller sur elles, du moins en attendant l'arrivée de ton prince charmant. »

Lily secondait sa mère depuis son enfance. Du plus loin qu'elle s'en souvienne, elle avait toujours aimé avoir les mains dans la terre. En outre, elle avait un nez que tout viticulteur lui aurait envié. Elle était capable de deviner ce qu'un sol contenait, et ce qui lui manquait. Il lui suffisait de prendre un peu de terre au creux de sa main, de l'écraser entre ses doigts et de la humer. Elle ne se trompait jamais. Malgré toute son intuition, Marian elle-même ne pouvait se mesurer à sa fille.

Plus jeune, Lily avait songé à prendre la suite de sa mère et à poursuivre la tradition. Il n'y avait qu'un seul nuage à l'horizon : le prince charmant ne vivait pas à Three Pines et il y avait peu de chances qu'il y vienne, même en visite.

Tout en arrosant, binant, taillant, Lily inhala le parfum des aiguilles de pin et celui des géraniums qui imprégnait ses doigts. Une impression de paix l'envahit. Elle était encore jeune et avait de nombreuses années devant elle. Mais s'il arrivait quelque chose à sa mère...

Si un malheur se produisait, alors les rêves de sa mère pèseraient entièrement sur ses épaules. Et elle se demanda encore une fois ce qui se passait dans le monde en dehors de Three Pines.

— Bonjour.

Lily tressaillit. Elle n'avait pas entendu la porte s'ouvrir.

— Bonjour, Calvin.

— Tu t'es levée tôt. Comment va ta mère ?

— Ils m'ont dit que son état était stable.

Elle ne leva pas les yeux et continua de travailler. Calvin vint lui prendre le tuyau d'arrosage des mains et orienta le brumisateur vers les fougères accrochées au plafond.

— Je peux te remplacer. Je suis sûr que tu as envie de lui rendre visite.

Cal Robicheaux, avec ses cheveux blonds et ses yeux bruns à l'expression malicieuse, avait une habitude détestable : il s'imaginait savoir lire dans les pensées de Lily et oubliait trop souvent qui donnait les ordres, ici. Il était entré dans leur vie trois mois auparavant, lorsque Marian l'avait engagé pour un emploi temporaire. Toutefois, il ne semblait pas décidé à repartir et prenait au contraire de plus en plus de responsabilités dans la petite exploitation. Marian semblait s'accommoder avec plaisir de cet arrangement. Mais alors qu'il respectait toujours les goûts et les opinions de cette dernière, il était loin de se montrer aussi courtois envers Lily.

Marian trouvait que Calvin était la pâte des hommes. Lily, elle, pensait que c'était un... Bon, une vraie dame n'employait pas ce genre de mots. Et malgré ses ongles incrustés de terre et ses jeans maculés de boue, Lily Belle Smith était une vraie dame du Sud. Elle se vengea en l'appelant Calvin, un prénom qu'il détestait.

— Donne-moi ça, fit-elle en tendant la main. Tu peux aller t'occuper des espèces locales.

Elle faisait allusion à la serre où ils ne cultivaient que des plantes originaires de la région et gardées à l'écart des autres pour éviter des croisements accidentels entre les espèces.

— Redescends sur terre, ma beauté. Pendant que tu rêvassais ici, je m'en suis déjà occupé. Et j'ai aussi arrosé tous les arbustes.

Il refusa de lui rendre le tuyau, mais sa voix s'adoucit.

— Tu as mille raisons d'être préoccupée, *chérie*. Je me suis arrêté à l'hôpital en venant et je sais que ta maman est toujours inconsciente. En plus, je parie que tu n'as pas encore pris ton petit déjeuner.

Elle saisit un autre tuyau.

— Pour qui tu te prends ? Pour mon…

Sa voix s'étrangla et elle se détourna vivement.

Calvin lui posa une main sur le bras.

— Je sais que tu es très inquiète, chérie, mais ce n'est pas une raison pour rester à jeun. Je t'ai apporté des gâteaux à la cannelle de chez Lorena. Ce n'est peut-être pas diététique, mais ça ouvre l'appétit. Rentre prendre une douche et mange un peu. Je vais finir ici, puis je te conduirai en ville quand tu seras prête.

— Pourquoi es-tu aussi gentil avec moi ? Je ne t'aime pas et tu ne m'aimes pas non plus.

— Peut-être. Mais ta mère a été la seule à me donner une chance de m'en sortir et je lui en suis reconnaissant.

Il ébaucha un sourire et ajouta :

— Même si cela m'oblige à composer avec une fille autoritaire.

— Je ne suis pas…

Il l'interrompit d'un geste de la main.

— Je ne vais pas me quereller avec toi ce matin. Ta maman a besoin de toi, alors va te préparer et fais ce que tu as à faire.

— Ce que j'ai à faire, c'est justement de veiller sur ses plantes.

— Si elle a engagé des gens, c'est justement pour faire ce travail. Je me charge de tout aujourd'hui et je continuerai tant que ça sera nécessaire. Visiblement, tu es trop anxieuse en ce moment, ajouta-t-il en lui montrant les plateaux débordants d'eau à côté d'elle.

Les yeux de Lily s'élargirent d'horreur, puis s'emplirent de larmes. Cal lui posa une main sur l'épaule.

— C'est bon, ça ne les tuera pas. Maintenant, rentre. Je te rejoindrai dans un moment.

L'espace d'une seconde, elle fut sur le point de s'abandonner contre lui. Mais elle se ressaisit, le repoussa et se dirigea vers la porte. La main sur la poignée, elle se retourna.

— Je peux très bien aller seule à l'hôpital. Mais merci de prendre les choses en main ici. Je reviendrai dès que possible. Il n'y a rien que je puisse vraiment faire pour elle, mais…

— Mais on ne sait jamais, chérie. On ne sait jamais, répéta-t-il en hochant la tête. Va vite.

Pour une fois, elle ne trouva rien à répondre.

— Gamble ?

Gamble sursauta et ouvrit les yeux. Il rencontra le regard doux et triste de sa sœur.

— Je croyais que tu étais allé te reposer. Pourquoi es-tu revenu ? Les infirmières m'ont dit qu'il n'y avait rien de nouveau. Elles me cachent quelque chose ?

— Non. C'est juste…

Il se passa les mains sur le visage, peu enclin à parler de ce qu'il avait fait pendant la nuit. Il s'était rendu à l'hôpital tout de suite après avoir quitté Jézabel.

— Je voulais être avec elle, dit-il en posant les coudes sur ses genoux. Je n'étais pas là quand elle a eu besoin de moi.

Lily lui caressa les cheveux et sourit.

— Elle a compris pourquoi tu étais parti. Elle est très fière de ton succès, tu sais.

Gamble haussa les épaules et se leva.

— Oui, je sais. Je déteste être à Three Pines, Lily. Et j'ai l'impression d'être un salaud. Tout ce que j'ai aimé dans ma vie se trouvait autrefois dans cette ville, et je n'ai qu'une hâte, c'est de repartir.

Il vit le visage de sa sœur se crisper et prit conscience de la portée de ses paroles.

— Je suis désolé, Lily Belle. Bien sûr, il y a encore des gens que j'aime ici. Toi, maman, Levi… et Noah. C'est seulement que…

Il regarda par la fenêtre.

— Partout où mes yeux se posent, je vois Charlotte. Et me retrouver encore une fois dans cet hôpital…

— Maman n'aimerait pas te voir aussi malheureux, Gamble.

Il pivota sur lui-même.

— Elle m'a aidé à rester vivant pendant tous ces mois, elle ne m'a jamais laissé tomber. Si tu crois que je vais la lâcher maintenant, uniquement parce que c'est dur de se retrouver ici…

— Quand as-tu mangé pour la dernière fois ?

— Pardon ?

Il revit vaguement une assiette avec un hamburger. Ce qui lui ramena en esprit l'image de Jézabel assise sur cette table, à moitié dévêtue…

Gamble jura tout bas, posa les mains sur ses hanches et plissa les yeux pour chasser cette vision. Comment diable avait-il pu… Alors que sa mère était là, blessée, seule, peut-être mourante.

— Gamble ?

— Quoi ? répondit-il, d'un ton si brusque que Lily eut un mouvement de recul.

— Je te demandais juste si tu voulais aller prendre ton petit déjeuner.

Il se passa une main dans les cheveux.

— Non… Je suis désolé, Lily. Tu as raison… Il faudrait que je mange quelque chose.

— Il paraît que c'est quand ils sortent de leur période d'hibernation que les ours sont les plus dangereux, répliqua-t-elle avec un petit sourire. Viens, Grincheux. Allons avaler un bon déjeuner.

— Ce n'est pas à la cafétéria que nous le trouverons.

— Mais nous n'allons pas à la cafétéria.

— Il faudrait aussi que je voie le médecin quand il fera sa tournée.

— Il n'est que 6 heures du matin, Gamble. Le médecin est encore dans son lit.

Elle sourit et ses joues se creusèrent de deux ravissantes fossettes.

— Nous n'avons qu'à laisser notre numéro de portable aux infirmières. Le Café de Lorena se trouve à deux pas d'ici.

Le Café de Lorena. L'estomac de Gamble se mit à gargouiller.

— Je ne savais pas que tu avais autant de volonté. Autrefois, tu étais juste une mignonne petite fille.

Les yeux de sa sœur pétillèrent de malice.

— J'ai toujours eu de la volonté. Quand on a trois grands frères, on ne peut pas faire autrement.

Gamble se mit à rire. Il se rendit compte que c'était la deuxième fois que cela lui arrivait en moins de vingt-quatre heures. Mais il ne voulait plus penser à Jézabel Hart.

Il prit sa sœur par le cou, lui arrachant un cri de protestation. Ils firent mine de se chamailler et Lily n'eut d'autre ressource que de le chatouiller pour se défendre. Ne sachant comment se sortir de la situation, il eut une soudaine inspiration et s'exclama :

— Oh, non ! Lily, regarde, ta voiture…

Elle hésita une fraction de seconde. Il en profita pour la soulever et la hisser sur son épaule.

— Tricheur ! hurla Lily en se débattant.

— Que faites-vous, tous les deux ? Je suis sûr qu'on vous entend à l'autre bout de la ville.

Gamble se retrouva nez à nez avec Levi. Lily se dégagea rapidement. Levi et Noah les contemplaient en souriant.

— J'allais juste emmener ce singe prendre son petit déjeuner chez Lorena, mais j'ai changé d'avis, déclara Lily.

— Nous devrions retourner dans la salle d'attente, dit Gamble en recouvrant sa gravité.

Noah lança un bref coup d'œil à la porte de l'hôpital.

— J'ai appelé il y a quelques minutes. Ils m'ont dit que rien n'avait changé.

— Oui, mais…

— Gamble a dormi dans un fauteuil à côté de son lit, dit Lily. Il a besoin de se détendre quelques minutes.

Mais Gamble n'en était pas aussi certain.

— Je vais juste…

— Aller déjeuner avec nous, compléta Levi en lui agrippant le bras. C'est une excellente idée.

Gamble lança encore un coup d'œil derrière lui.

— Tu es là, Gamble, dit Levi d'un ton ferme. C'est tout ce qu'elle voulait. Quand elle s'éveillera, elle aura besoin de nous. Mais nous avons intérêt à être en forme, sinon nous ne lui serons d'aucune utilité. Tu sais qu'elle dirait la même chose que moi.

Gamble marqua une pause, puis admit dans un soupir :

— Tu as raison.

Noah eut un large sourire et prit sa sœur par le cou.

— Alors, c'est réglé. Lily nous offre le petit déjeuner.

Lily protesta et une chamaillerie s'ensuivit. Gamble et Levi échangèrent des coups d'œil amusés.

— Cinq dollars que c'est Lily qui l'emporte, dit Levi.

— Tu ne prends pas de risque. Noah n'a pas gagné une seule fois contre elle depuis qu'elle a dix ans. Mais d'accord, je tiens le pari. Par solidarité avec Noah.

Les deux frères se serrèrent la main.

★
★ ★

Ils mangèrent tout en continuant de se chamailler. Il y avait des années que Gamble n'avait plus autant apprécié un repas.

Soudain, le silence retomba. Gamble vit ses frères et sœur échanger des regards entendus et il se prépara à ce qui allait suivre. Levi s'éclaircit la gorge.

— Vous voulez bien nous laisser un moment en tête à tête, tous les deux ?

Lily foudroya son frère du regard. Noah, visiblement soulagé, fit aussitôt mine de se lever.

— Reste assis, ordonna sèchement Gamble. Tu veux me parler du cottage, n'est-ce pas ?

— Oui.

— Je ne suis pas encore sûr de vouloir vendre.

— L'offre est intéressante, Gamble. J'ai promis à l'acheteur de lui donner une réponse.

— Depuis quand fais-tu des promesses alors qu'il s'agit de *ma* maison ? Et comment peux-tu dire que l'offre est intéressante, alors que je n'ai jamais fixé de prix de vente ? Je suis le seul à pouvoir prendre une décision ! Et...

— Tu as l'intention de retourner y vivre ? demanda Noah de but en blanc.

— Qu'est-ce que ça peut faire ?

Il les regarda tous les trois, l'un après l'autre.

— Qu'est-ce que ça peut vous faire, à vous ? Si

je décide de laisser ce cottage pourrir, c'est mon problème.

Lily lui posa doucement une main sur le bras.

— Gamble, tu n'es pas juste. Levi s'en est occupé pendant des mois.

Elle avait raison, mais il n'avait pas envie de l'entendre. Il se dégagea et posa les mains à plat sur la table.

— Je n'ai rien demandé, dit-il en se levant.

— Assieds-toi.

La voix de Lily était ferme et résolue. Comme celle de leur mère. Elle chercha le regard de Gamble.

— Cette maison ne mérite pas d'être abandonnée comme ça, Gamble. Tu y as mis tout ton cœur et toute ton âme, et je ne pense pas que tu aies envie de la voir s'effondrer. Nous comprenons tous que tu ne te sentes pas capable de retourner l'habiter, mais c'est tout de même un coin de paradis. Et Levi a rencontré quelqu'un qui adore ce cottage, justement parce qu'elle voit tout l'amour que tu y as mis en le construisant, pierre par pierre.

La colère de Gamble s'évanouit, ses épaules s'affaissèrent.

— Je suis désolé. Les mots ont dépassé ma pensée.

Levi l'observa un moment et murmura :

— Parfois, je me dis que je vendrais mon âme pour aimer une femme comme tu as aimé Charlotte. D'autres fois, je suis diablement content de ne pas connaître ça. Je peux comprendre que tu sois rebuté à l'idée de vendre, n'empêche que si tu n'as plus l'intention d'aller vivre là-bas, alors Lily a raison : cette maison est trop belle pour être laissée à l'abandon. Et l'immobilier à Three Pines n'est pas en pleine expansion, alors je ne crois pas que tu puisses obtenir un meilleur prix.

— J'ai l'impression que je ne pourrai plus jamais y mettre les pieds. Seulement, je ne peux pas oublier…

Soudain abattu, Gamble porta une main à son front.

— Je ne sais pas ce que je vais faire. Donne-moi toujours les détails et j'y réfléchirai. Qui est cet acheteur ?

— Elle s'appelle Jézabel Hart. Elle est gérante du bar de Skeeter, mais elle m'a dit qu'elle avait des économies et qu'elle pouvait payer cash et…

Jézabel Hart…

Son frère continua de parler, mais les paroles cessèrent d'atteindre l'esprit de Gamble.

Jézabel Hart.

Bon sang.

L'erreur de la nuit précédente n'était donc pas près de s'effacer ? Quand il l'avait quittée, au petit matin, il avait cru ne jamais la revoir. Sa folie demeurerait secrète, il repartirait bientôt et nul ne…

— Gamble ?

Il s'aperçut que ses frères et sœur avaient les yeux fixés sur lui.

— Pardon, je…

Il détourna les yeux, puis revint vers eux et dit :

LE PRINTEMPS DES PROMESSES

— C'est non.

Levi fronça les sourcils.

— Comment ça, *non* ? C'est un bon prix. Tu n'obtiendras pas plus si tu mets la maison en vente dans une agence. D'ailleurs, il n'y en a pas à Three Pines.

— Non, répéta-t-il avec brusquerie. Je ne vais quand même pas vendre la maison de Charlotte à une poule qui sert des cocktails dans un bar.

Les mots lui brûlèrent les lèvres, mais il s'endurcit aussitôt et ne revint pas sur ce qu'il venait de dire : il n'était pas question de vendre la maison de Charlotte à une femme capable de coucher avec un homme qu'elle ne connaissait même pas !

— Ce n'est pas une poule, reprit Levi. Tu n'écoutes donc pas ce que je te dis ? Cette fille a réussi à sauver le bar de Skeeter de la ruine, et elle a fait des choses très bien ici. C'est elle qui a organisé un...

— Je m'en fiche, déclara Gamble en se levant. Dis-lui que c'est non.

Levi se leva à son tour.

— Tu n'as qu'à le lui dire toi-même. Va donc lui expliquer pourquoi son argent n'est pas assez bon pour toi.

Levi s'emportait moins souvent que Gamble, mais quand il finissait par se mettre en colère, c'était spectaculaire.

— Tu as toujours été trop vertueux pour franchir la porte du bar, mais je suis sûr que tu connais le chemin, dit-il en jetant sa serviette sur la table. Mieux encore, je vais t'y conduire moi-même.

— Asseyez-vous tous les deux ! ordonna Lily d'une voix sifflante. Les gens nous regardent. Vous vous en moquez peut-être, mais pensez à maman.

Les paroles de leur sœur surent les calmer sur-le-champ. Gamble se rassit en soupirant. Levi demeura debout.

— Il faut que j'aille ouvrir la clinique. Je passerai à l'hôpital un peu plus tard.

Et il sortit sans jeter un regard en arrière. Gamble se passa une main sur le visage et jura tout bas.

— Je ne peux pas vous expliquer, grommela-t-il.

Ce n'était pas tout à fait un mensonge. Il était en proie à un affreux mélange de rage et de culpabilité.

— Je mettrai les choses au point. Mais je ne peux pas... Je ne suis pas prêt...

— Tu n'es pas obligé de prendre une décision tout de suite, répondit Lily d'un ton apaisant. Prends quelques jours de réflexion.

— Je connais Jézabel, Gamble, déclara Noah. Ne te fais pas de fausses idées à cause de son nom, ou du métier qu'elle exerce.

Gamble ricana. Des images de leurs corps enlacés lui traversèrent l'esprit.

— Accompagne-moi chez Skeeter ce soir, reprit Noah. Juste pour boire une bière. Tu verras quel genre de personne elle est.

« C'est déjà fait, petit frère, songea Gamble avec

cynisme. Je crois encore sentir ses hanches dans mes mains, ses jambes nouées autour de… »

Il s'éclaircit la gorge.

— Non merci, ce n'est pas nécessaire.

— Pourquoi ? Cela ne te ressemble pas d'être aussi obtus, Gamble, protesta Lily. Tu veux que je t'accompagne ?

— Non ! s'exclama-t-il, horrifié à cette idée.

— Maman dit qu'elle a bon cœur. Elle est généreuse, n'hésite pas à consacrer du temps aux autres et…

Et à leur offrir son corps.

Il fut sur le point d'éclater d'un mauvais rire. Mais à ce moment-là, il se rappela la façon dont elle lui avait caressé les cheveux lorsqu'il avait posé la tête sur sa poitrine. Le sentiment de paix, de bien-être qu'il avait éprouvé…

— Je ne veux pas parler de ça, lança-t-il brusquement en se levant. Je…

— Hé, Gamble !

Il se retourna, vit Chappy Martinez qui se tenait juste derrière lui, et se figea.

— Je voulais te proposer de te ramener, hier soir, chez Skeeter. Mais tu avais l'air d'être occupé avec Jézabel et…

C'en était trop. Evitant le regard intrigué de ses frère et sœur, Gamble jeta une poignée de billets sur la table.

Et il sortit sans un mot.

Chapitre 6

Gamble n'avait pas demandé à Noah s'il aurait besoin de sa voiture dans la journée. Il comptait passer chez sa mère et voir si la vieille camionnette de son père se trouvait toujours au garage. Sinon, il irait louer un véhicule chez Tyler.

Mais pour l'instant, il avait besoin d'être seul.

Et de revoir le cottage de Charlotte.

« Bon sang ! songea-t-il en frappant le volant du plat de la main, Jézabel Hart s'imagine qu'elle mérite de vivre dans la maison de Charlotte ! »

Quel extraordinaire toupet…

Le goût âpre de la colère envahit sa bouche. Son esprit était en ébullition. Il était furieux. Outré. Malade de honte. Il avait passé presque toute la nuit dernière assis dans un bar minable, à contempler les courbes alléchantes de cette femme, alors que Charlotte était couchée sous la terre avec son bébé ! Il ne pourrait plus jamais toucher son enfant, ou enfouir le visage dans les boucles de Charlotte. Il ne pourrait plus la tenir contre lui, la protéger de…

Le gravier jaillit sous les pneus et la voiture dérapa. L'espace d'une seconde, Gamble eut envie de laisser son véhicule partir contre le talus et…

Il reprit le contrôle et se gara. Son cœur battait à se rompre, des flots d'adrénaline se déversaient dans ses veines.

Pourquoi s'était-il arrêté ? se demanda-t-il en fixant le pare-brise, hagard. N'était-ce pas pourtant cela qu'il voulait : mourir, en finir ? Rejoindre Charlotte dans ce paradis qui, croyait-elle, les attendait tous les deux ?

Il posa le front contre le volant et ferma les yeux.

Le paradis était hors de portée pour lui depuis le jour où il s'était furieusement disputé avec la fragile jeune femme qui s'obstinait à vouloir porter son enfant. Si le paradis existait, elle s'y trouvait sûrement avec leur bébé, car personne n'avait un cœur plus pur qu'elle.

Mais même s'il ne l'avait pas laissée mourir sans s'être réconcilié avec elle, même si cette faute odieuse avait pu d'une manière ou d'une autre être expiée…, le fait qu'il ait couché avec Jézabel Hart au lieu d'aller revoir la maison de Charlotte avait certainement scellé son sort. Et à présent, on aurait voulu donner les clés de cette maison à cette femme qui l'avait détourné de sa seule vraie belle histoire d'amour ? Et… et quoi ? Partir pour toujours ? Rayer d'un trait de crayon toute cette partie de sa vie ?

Après cela, qui viendrait s'asseoir dans le rocking-chair de Charlotte ? Qui se rappellerait qu'elle conservait comme un trésor la pelle à gâteau de sa grand-mère ? Qui saurait qu'elle avait passé des nuits à broder des marguerites sur les rideaux de la cuisine ?

Non, il ne pouvait pas vendre le cottage. Celui-ci représentait sa pénitence, le fardeau qu'il devrait porter jusqu'à la fin de ses jours. Il n'avait pas le droit d'aller de l'avant et d'oublier Charlotte. Même si certains jours il aspirait à pouvoir effacer d'un seul coup tous les souvenirs.

Il avait possédé tout le bonheur qu'on pouvait attendre de la vie, il l'avait rejeté, et il n'aurait jamais fini de payer cette erreur.

Il donna un coup d'accélérateur et reprit la route.

Jézabel aurait bien aimé se servir de ses cisailles. La vigne vierge s'enroulait autour de la clôture et n'allait pas tarder à la faire tomber. Elle ne connaissait pas grand-chose au jardinage, mais, sous les nouvelles feuilles d'un vert tendre, on voyait un labyrinthe de branches mortes qui arrachaient la peinture blanche des piquets. Il fallait sûrement tailler tout cela.

Si Marian Smith ne s'était pas trouvée à l'hôpital, elle lui aurait demandé conseil. Sa pépinière attirait des clients à des kilomètres à la ronde, car ses plantes étaient de la meilleure qualité.

Mais Marian était blessée, dans le coma.

Surtout, elle était la mère de Gamble Smith.

Dans d'autres circonstances, songea Jézabel en arpentant le terrain qu'elle aurait tant voulu posséder, elle se serait rendue à son chevet. Elle aurait pu au moins faire quelques courses pour ses enfants, ou préparer du café et les repas…

Tout cela aurait été possible avant la nuit dernière.

Elle observa un massif de fleurs envahi de mauvaises herbes et s'agenouilla pour le nettoyer.

Qu'allait penser Marian ? En fait, Jézabel était célibataire depuis plusieurs mois. Elle n'avait pas fréquenté un seul homme depuis son arrivée à Three Pines. Et tout à coup, il avait suffi qu'elle pose les yeux sur le fils prodigue… pour qu'elle perde non seulement la tête, mais aussi la moindre chance qu'elle avait de mettre la main sur son rêve.

Et maintenant, elle était bouleversée, terrifiée à l'idée que sa vie était irrévocablement changée et que…

— Oh ! Que fais-tu? hurla quelqu'un d'une voix tonitruante.

Jézabel se retourna si vivement qu'elle se retrouva assise dans la boue.

Une haute silhouette s'avança vers elle, d'un air menaçant. L'homme était à contre-jour et elle ne distinguait pas ses traits.

— Sors d'ici ! ordonna-t-il d'une voix rauque.

Elle se releva, plaçant une main en visière sur son front. Et elle vit la personne au monde qu'elle désirait le moins rencontrer.

Il semblait hors de lui.

— C'est une propriété privée, dit-il en marchant vers elle d'un air inquiétant. Fiche-moi le camp.

Elle recula contre la bordure de pierres et perdit de nouveau l'équilibre. Elle tendit la main, cherchant quelque chose à agripper pour se redresser.

C'est alors que Gamble lui prit le bras sans douceur. Plus rien à voir avec les caresses de la nuit précédente. Il serra les doigts si fort qu'elle fut sûre d'avoir un bleu le lendemain.

— Je te laisse trente secondes. Si tu refuses de partir, j'appelle le shérif.

Il serra les doigts plus fort et une expression de mépris se peignit sur ses traits.

— Je ne te vendrai jamais cette maison, c'est compris ? Tu n'es même pas digne de t'essuyer les pieds sur le paillasson de Charlotte. Et maintenant file, avant que je ne…

La paillasson de… ? A ces mots, Jézabel sentit toute la colère du monde monter en elle. Elle repoussa Gamble avec force, des deux mains.

— Ote tes mains de moi, ou je porte plainte !

Il ne bougea pas et elle abattit violemment le talon sur son pied. Il poussa un cri étouffé et relâcha légèrement son emprise. Elle se dégagea, tandis qu'il sautillait sur un pied en jurant tout bas.

— N'essaye plus jamais de me brutaliser !

Gamble se redressa. Son visage glacial était un masque de mépris.

— Si tu ne veux pas que ça se reproduise, ne mets plus les pieds ici. Ce n'est pas ta place.

Il y avait tant de haine dans sa voix que le cœur de Jézabel se serra douloureusement.

— Tu laisses cette superbe maison tomber en ruine. C'est comme ça que tu entretiens le souvenir ?

A la seconde même où elle prononça les mots, elle eut envie de les ravaler. Ça ne lui ressemblait pas d'être méchante.

Mais cet homme l'avait dévalorisée, rabaissée. Et cela lui était arrivé trop souvent dans sa vie.

— Pars, dit-il d'un ton froid. Il n'y a plus rien entre nous.

Elle fut presque tentée de rire. « Tu pourrais avoir une surprise », songea-t-elle. Mais elle se contint, certaine à présent que, même si elle était enceinte, elle ne le lui dirait jamais ! Elle ne valait peut-être pas grand-chose, mais elle méritait mieux que le mépris de Gamble Smith. Et même si ce n'était pas le cas, son bébé, lui, méritait mieux que cela.

A la pensée de l'enfant, elle domina son envie de fuir et lança crânement :

— Pourquoi refuses-tu de me vendre la maison ? Puisque tu n'y vis plus.

— Parce que…

Il fit un geste en direction du cottage et déclara :

— Si je devais vendre la maison de Charlotte, ça ne serait pas à quelqu'un comme toi.

110

Les mots lui firent l'effet d'une gifle, mais elle répliqua froidement :

— Nous étions deux, dans ce lit, la nuit dernière. Tu ne m'as pas semblé agir sous la contrainte.

— J'ai fait une erreur, dit-il d'une voix sourde.

Cette fois-ci, elle se sentit vaciller. Une nuit qui, pour elle, serait inoubliable… il appelait cela une erreur !

L'enfant qu'elle portait peut-être n'était… qu'une erreur de parcours ? *Non*.

— Tu te trompes.

Il leva vivement la tête et darda sur elle un regard gris d'acier. Il ne voulait plus penser à la tendresse qu'ils avaient partagée. Il ne voulait plus rien savoir d'elle, en fait.

Mais elle avait encore besoin de lui. Aussi, respirant profondément, elle fit une dernière tentative.

— Gamble… Je comprends que ce soit douloureux pour toi d'être ici…

— Tu ne comprends rien. Quelqu'un comme toi ne peut rien comprendre.

Elle redressa les épaules.

— Tais-toi. Et cesse de me traiter avec mépris parce que tu te sens coupable de n'avoir pas su résister hier soir…

Elle soupira, se ressaisit et marmonna :

— Désolée.

— Va-t'en, dit-il en lui tournant le dos.

— D'accord. Mais quand je serai partie, réfléchis.

Il lui tourna le dos, comme pour la chasser, mais elle ne se laissa pas décourager.

— Demande-toi ceci, Gamble Smith : que ferait Charlotte ? Si elle ne pouvait plus supporter de rester ici sans toi, laisserait-elle cet endroit se détériorer ? Que tu me croies digne ou non de vivre ici, cette maison me plaît et je ferai de mon mieux pour préserver ce que tu as construit avec ta femme.

Il se retourna pour la regarder.

— Tu n'as pas connu Charlotte et tu ne me connais pas. Et tu es chez moi, ajouta-t-il en pointant un doigt vers sa voiture.

Résistant à la tentation de fuir, elle lui fit face un moment, les yeux brouillés de larmes. Puis elle se décida à s'éloigner.

Quand elle eut disparu, Gamble se laissa tomber sur les marches du perron, épuisé par la fureur.

« Que ferait Charlotte ? Cela ne te regarde pas, Jézabel ! » songea-t-il, encore habité par la colère.

Malgré tout, la question demeura en suspens et il se surprit à y réfléchir. Une chose était sûre : dans la même situation, Charlotte ne se serait pas déchaînée comme un animal pris au piège. Et elle n'aurait pas cherché à déchiqueter quelqu'un qui ne le méritait pas.

« Mais Charlotte m'a fait du mal, à moi. Elle m'a quitté. » La petite voix insidieuse, qui l'avait rongé pendant les mois suivant la mort de Charlotte, le nargua de nouveau. Il s'obligea à se lever et à bouger pour lui échapper.

« Regarde. La maison de Charlotte. Ta maison. Ton foyer. »

Il secoua violemment la tête. Ce n'était plus sa maison.

« Alors, pourquoi ne peux-tu pas la vendre ? »

Parce que…

Impossible de l'expliquer. Il était en proie à une infinité de sentiments, qui allaient de l'amour à la haine, et contenaient la somme de ses espoirs perdus. Il ne pouvait être ici, à Three Pines, sur son terrain, et ne pas penser à…

« Gamble, repose-toi. Viens sur la balancelle avec moi. »

Son regard se posa sur la balancelle de la terrasse, qu'il avait installée pour Charlotte. Elle s'y asseyait pour contempler les couchers de soleil. Ses yeux étaient pétillants de joie, ses bras étaient très doux.

« Viens te serrer contre moi. »

Et il l'avait fait tant de fois. Il s'éveillait et la trouvait pelotonnée contre lui, sous un vieux quilt brodé. Quelquefois à l'aube, quelquefois sous le chaud soleil d'après-midi. Ou bien encore dans le clair de lune, encore étourdie de passion, délicieusement comblée.

A cet instant, une autre image lui traversa l'esprit. Celle d'une femme totalement différente de Charlotte. Des courbes sensuelles, une sexualité libre, un regard provocant.

Le seul fait de penser à elle fit surgir une bouffée de désir.

Gamble frappa un des poteaux de la terrasse du plat de la main. Ici, dans le domaine de Charlotte, la seule idée de penser à une autre femme était inconcevable ! L'idée de la tromper ne l'avait jamais effleuré. S'il avait dû, parfois, refréner son désir pour ménager la santé de Charlotte, il l'avait fait avec joie, car c'était pour elle. Par amour.

« Ne sois pas si délicat avec moi, Gamble. Je ne vais pas me casser. »

Mais elle se trompait. Il avait arpenté la chambre pendant des heures, la nuit, en se demandant s'ils pouvaient affronter une autre crise, s'il était trop risqué de ne pas la ramener à l'hôpital, où elle avait déjà passé trop de temps dans sa vie.

Il aurait refait tout cela avec joie, s'il avait pu retrouver aussi l'oasis de paix et de bonheur qu'elle avait créée autour de lui. Peu de gens avaient la chance de vivre avec un ange, et Gamble Smith méritait cette chance encore moins qu'un autre.

Si elle ne pouvait plus supporter de rester ici sans toi, laisserait-elle cet endroit se détériorer ?

Non, elle ne ferait pas cela. Mais Charlotte était un ange. Lui, non.

Il regarda autour de lui et remarqua pour la première fois les signes d'abandon autour de la maison. Le fait d'être à Three Pines le rendait fou… Toutefois, tant que l'état de sa mère demeurait incertain il ne pouvait pas partir. Aussi forte soit son envie de fuir.

En attendant, il fallait rendre sa voiture à Noah et

s'excuser auprès de ses frères et sœur. Quels que soient ses sentiments, il n'y avait pas lieu de s'en prendre à Levi.

Il observa le jardin et se promit de revenir. Son regard s'arrêta sur le massif que Jézabel avait commencé de désherber. Il revit ses jolies mains souillées de terre, son jean moulant.

Bon sang, il n'était pas insensible à son charme… Si l'occasion se représentait, son corps s'enflammerait de nouveau pour elle. Mais, à présent, cette maison se dressait entre eux.

Oui, décidément, il aspirait désespérément à quitter Three Pines, retourner à New York. Pour le moment, cependant, il ne fallait même pas y songer. Il allait donc se rendre à l'hôpital puis faire amende honorable auprès de ses frères et sœur.

Et prier pour que le jour du départ arrive le plus vite possible.

Quand Lily revint, elle trouva Cal, aidé par Kenny Davis, un garçon de seize ans, qui remplissait de boutons de rose les sacs qui portaient le logo de Blossom Central. Il portait un bandana sur le nez pour se protéger des pollens et de la poussière de terre.

— Je t'ai déjà dit de mettre un masque.

Il leva les yeux, sans cesser de ramasser la terre à l'aide d'une grosse pelle.

— Je préfère le bandana.

— Tu es trop coquet pour utiliser un masque !

Il baissa le bandana, s'appuya sur le manche de la pelle et adressa un clin d'œil à Kenny.

— Qu'est-ce que je t'avais dit ? Elle ne peut pas me résister.

Lily leva les yeux au ciel.

— Tu as respiré trop de poussières. Ton esprit ne fonctionne plus.

Au lieu de répliquer, il tendit la pelle à Kenny et dit :

— Va faire un tour, petit.

— Je préfère vous regarder vous disputer. C'est plus drôle.

Cal lui ébouriffa les cheveux.

— Il y aura d'autres occasions, j'en suis sûr. File.

Kenny obéit et tourna les talons.

— Attends ! s'écria Lily. Pourquoi n'es-tu pas à l'école ?

— Je lui ai demandé de sécher les cours, déclara tranquillement Calvin.

— Quoi ? Tu n'as pas le droit…

Kenny éclata de rire.

— C'est bon, Lily. Les professeurs ont une journée de stage et nous n'avons pas cours.

— Tu as tout gâché, bougonna Cal. Reviens dans dix minutes, il nous reste encore cinquante sacs à remplir.

— Esclavagiste, répliqua Kenny en s'éloignant avec un signe de la main.

— Tu as une influence terrible sur ce garçon, constata Lily. Il est très impressionnable.

— Tout le monde a besoin qu'on lui montre l'exemple à ne pas suivre. Que t'arrive-t-il, *chérie* ? Ta maman va bien ?

Lily haussa les épaules.

— Ce n'est pas pire, mais sa condition ne s'améliore pas non plus.

— J'ai pensé que des fleurs lui feraient plaisir. Leur parfum la ramènera peut-être à elle. Ne serait-ce que pour me botter l'arrière-train parce que j'ai eu le culot de les couper !

Lily ne put s'empêcher de sourire.

— Je vais faire le bouquet.

— C'est déjà fait.

— Toi ? Tu as composé un bouquet ? dit Lily en écarquillant les yeux.

— Et alors ? ce n'est pas compliqué. Il n'y a qu'à couper quelques tiges et les mettre dans un vase.

— Lesquelles as-tu prises ? s'exclama Lily en se précipitant vers l'atelier. Calvin, le mariage des Nichols a lieu dans deux semaines. Si tu as cueilli celles que maman préparait depuis des mois pour Gladys Nichols, je te jure que...

Elle s'immobilisa en l'entendant éclater de rire.

— Ce n'est pas drôle ! Je ne peux pas te laisser seul une minute !

Elle se retourna, prête à lui donner une bourrade, mais il intercepta son bras.

— Mais tu n'es plus triste, fit-il remarquer en la relâchant. Je préfère encore te voir en colère. Ta mère a besoin que tu te battes pour elle, pas que tu te lamentes. Elle est solide, elle s'en sortira, tu verras. Seulement, il faut que nous poursuivions le travail.

Il s'arrêta devant la porte de l'atelier. Avant qu'il ne s'éloigne, Lily lança :

— Alors, quelles fleurs as-tu choisies ?

Cal marqua une pause.

— C'est toi qui vas les choisir. Maintenant. Mais reconnais que c'est une bonne idée, non ?

Sur ces mots, il fit un signe de tête et sortit.

— Bonne idée, mon œil, marmonna-t-elle.

Pourtant elle sourit malgré elle.

— Lily Smith ?

Lily leva les yeux et attendit avec la plus grande méfiance.

— Je suis Mlle Hart.

Ça, elle le savait. Elle regarda Jézabel.

Elle n'avait jamais su que penser de cette femme, bien que sa mère semble l'apprécier, mais maintenant qu'elle savait que Gamble avait passé la nuit avec elle, elle ne trouvait absolument rien à lui dire.

Une fureur sourde l'envahit. Comment cette femme

avait-elle osé jeter son dévolu sur son frère, alors qu'il pleurait encore sa femme ?

— Je peux vous aider ? s'enquit-elle sans aucune aménité.

Jézabel parut incertaine.

— Je...

Elle s'interrompit et regarda autour d'elle, comme si elle cherchait de l'aide. Elle portait un banal T-shirt blanc rentré dans son jean. Lily était habillée de la même façon, mais elle ne put s'empêcher de penser que, sur elle, cela ne produisait pas le même effet sexy que sur Jézabel Hart. Elle avait à peu près autant de rondeurs que Kenny — alors que Jézabel était d'une beauté ravageuse. Quels que soient les vêtements qu'elle portait, elle devait attirer tous les regards masculins, partout où elle allait.

Ce qui la rendait encore plus coupable, aux yeux de Lily. Cette femme s'était servie de ses charmes irrésistibles pour entraîner Gamble dans Dieu sait quelles folies...

— J'ai beaucoup de travail, déclara-t-elle d'un ton sec.

— Je suis désolée de vous déranger, vous devez être très occupée, bien sûr, avec l'accident de votre mère. Je viens de passer à l'hôpital pour prendre de ses nouvelles. J'aimerais lui envoyer des fleurs.

— Pourquoi ?

La jeune femme eut l'air interloqué.

— Votre mère a toujours été très bonne pour

moi. Je l'aime bien, dit-elle tandis que les larmes lui montaient aux yeux malgré elle. Vous devez être folle d'inquiétude. Si je peux faire…

— Je crois que vous en avez déjà assez fait.

— Pardon ?

— Ne jouez pas les innocentes. Vous avez séduit mon frère pour qu'il vous vende la maison.

Jézabel balbutia une protestation fort peu convaincante.

— C'est dégoûtant, affirma Lily. Vous avez sauté sur un homme en deuil de la femme qu'il aime, afin de pouvoir lui racheter la maison qu'il a construite pour elle !

— Je n'ai pas…

— Vous me donnez envie de vomir. Ma mère s'est peut-être laissé prendre à vos mines hypocrites, mais pas moi. Il ne faut pas s'étonner qu'une strip-teaseuse ait recours à ce genre de tactique, cela dit. Ah, je vous retiens, avec vos repas pour les nécessiteux ! C'est tout pour la façade, n'est-ce pas ? Les hommes sont éblouis par votre silhouette, mais moi, vous ne pouvez pas me tromper…

Tout le chagrin de Lily se concentra, à ce moment, sur un seul point : empêcher son frère de tomber dans les filets de cette séductrice.

— Partez et ne remettez jamais les pieds ici. Et si vous approchez encore de mon frère, vous le regretterez.

— Lily, ordonna sèchement Cal, derrière elle. Ça suffit.

Elle se retourna comme une chatte en colère et s'en prit à lui.

— Tu n'as pas à me dire ce que je dois faire ! Tu ne vaux pas mieux qu'elle. En fait, vous allez très bien ensemble : l'ancien repris de justice et la strip-teaseuse. Partez tous les deux, hors de ma vue… !

Cal lui agrippa le bras et la secoua.

— Elle est déjà partie, Lily. Calme-toi. Ce n'est pas après elle que tu en as.

Elle lui assena un coup de poing en pleine poitrine.

— Tu n'as pas à me dire ce que je dois faire ! répéta-t-elle. Et puisque tu es de son côté, va-t'en. Je te paierai ce que je te dois.

Elle se débattit pour se dégager, mais sans succès.

— Je n'irai nulle part. Je vais simplement te conduire à l'hôpital voir ta mère.

Lily se figea, soudain terrifiée.

— Oh, mon Dieu. Il est arrivé quelque chose à maman ?

Mais elle vit que Cal souriait.

— Ta mère vient de faire quelque chose de très bien, *chérie* : elle a décidé de se réveiller.

— Oh, Cal…

Lily éclata en sanglots.

— Tu as même oublié de m'appeler Calvin, fit-il remarquer en lui prenant la main. Décidément, tu es beaucoup trop bouleversée pour prendre le volant. Allez, viens, je te conduis.

Chapitre 7

Mais qui était donc ce type contre lequel Lily se débattait ? Gamble bondit hors de sa voiture et hurla :

— Hé, vous, lâchez-la !

En l'entendant, Lily fit volte-face et comprit immédiatement ses intentions. Elle tenta de s'interposer.

— Gamble, non… !

Trop tard. Son poing s'abattit sur la mâchoire de l'inconnu. Il y eut un craquement, et Gamble sentit l'onde de choc se propager dans son bras. Son adversaire était aussi grand et aussi solide que lui. Celui-ci s'apprêta à riposter et Gamble profita de l'occasion qui se présentait d'évacuer la tension qui l'habitait depuis des heures.

— Non ! cria de nouveau Lily.

Lily se jeta sur Gamble et s'accrocha à son bras. Il tenta de la repousser, mais sans succès.

— Gamble, écoute-moi, idiot ! Il ne me faisait pas de mal.

— Mais tu essayais de lui échapper.

— Calvin voulait seulement me faire entendre raison.

Le Calvin en question esquissa une moue moqueuse.

— Je me demande pourquoi je m'obstine, d'ailleurs.

— Tais-toi ! ordonna Lily avant de se retourner vers Gamble. Si je te relâche, tu promets de m'écouter ? Nous devons parler de choses plus importantes que de Calvin.

— Merci beaucoup, chérie…, répliqua ce dernier.

Gamble fronça les sourcils, intrigué par le terme affectueux.

— Qu'est-ce qu'il est pour toi ?

— Rien, rétorqua Lily en secouant la tête.

— Encore merci…

Gamble vit la mine vexée de Calvin et se détendit.

— Et moi qui espérais avoir une bonne bagarre, dit-il en tendant la main à son adversaire. Calvin, je me présente : Gamble Smith.

— Appelez-moi Cal. Cal Robicheaux. Seule Mlle Lily Belle s'obstine à dire « Calvin » alors que ça m'agace.

— Elle est experte dans l'art d'irriter son entourage.

Les deux hommes se serrèrent la main en souriant.

— Les hommes… Vous êtes tous des imbéciles, grommela Lily. Mais oublions cela. Gamble, maman vient de se réveiller.

— Quoi ? Pourquoi ne m'a-t-on pas prévenu ?

— Il me semble avoir entendu le téléphone de Noah sonner avant que tu ne te jettes sur Calvin.

Gamble ouvrit la bouche, la referma puis marmonna :

— Je pensais que ce gars t'agressait, et je n'ai plus fait attention à rien d'autre…

— Mon héros, dit Lily en lui flattant la joue. Tu vois, Calvin, il ne faut pas m'embêter. J'ai des grands frères qui me défendent.

Gamble lui passa un bras autour des épaules.

— Viens, petite peste. Vous nous accompagnez, Cal ?

Le regard que ce dernier lança à Lily était lourd de sens. Il se contenta de hausser les épaules et de répondre :

— Non, allez-y sans moi, je vais m'occuper des serres. Mes amitiés à Marian.

Jézabel passa devant l'hôpital. Elle aurait pu s'y arrêter avant de se rendre à la maison de repos, mais elle repoussa aussitôt cette idée, glacée par la réaction de Gamble et celle de Lily. Levi serait sans doute plus conciliant, mais il devait se trouver à la clinique vétérinaire. Quant à Noah, elle ne le connaissait que de vue. Alors, la meilleure chose qu'elle avait à faire était sans doute de rester à l'écart de l'hôpital, malgré la tendresse qu'elle éprouvait pour Marian.

Elle se gara sur le parking de la maison de repos et fut heureuse de voir Skeeter assis sous le porche et profiter de cette radieuse journée de printemps. Il lui fit un signe de la main et elle prit une minute pour se ressaisir et chasser de son esprit les événements désagréables de la matinée.

Elle inspira profondément. Puis elle sortit de la voiture et mit sous son bras la boîte de biscuits au chocolat qu'elle avait préparés pour Skeeter. Enfin, plaquant un sourire sur ses lèvres, elle remonta l'allée.

— Bonjour, dit-elle en embrassant Skeeter sur la joue. Qu'est-ce qui t'a décidé à sortir ? Tu avais envie de regarder les filles ?

Le personnel s'inquiétait de voir Skeeter rester trop souvent confiné dans sa chambre. Il adressa un clin d'œil complice à la jeune femme et marmonna :

— J'attends la voiture qui m'emmènera loin d'ici. Ces bonnes femmes vont finir par me rendre fou avec leurs minauderies.

Jézabel aurait aimé réaliser son vœu, mais elle n'avait nulle part où l'emmener. Il ne pourrait sans doute plus jamais vivre seul, et l'appartement à l'arrière du bar était trop exigu pour eux deux. Sans compter qu'il refuserait sans doute de la laisser dormir sur le canapé, comme elle l'avait proposé plusieurs fois.

Quant à le prendre chez elle…

Gamble Smith avait catégoriquement refusé son offre d'achat.

Elle aurait tant voulu donner un foyer à Skeeter. Il était pour elle comme le grand-père qu'elle n'avait pas connu.

Mais elle finirait par trouver une solution. Elle avait toujours trouvé, non ?

— Ce doit être terrible de voir toutes ces femmes se disputer tes faveurs ! La plupart des hommes ne s'en plaindraient pas.

— Je ne me plaindrais pas non plus, si ce n'était pas une telle bande de gourdes, répondit-il, bougon.

— Même Mary Faith ?

Les yeux de Skeeter brillèrent d'une petite flamme mutine.

— Je ne vois pas ce que tu veux dire.

— Menteur. Tu as l'âme d'un Casanova.

— Hé là, jeune fille ! Je ne suis pas obligé d'écouter tes bêtises. Assieds-toi là, petite impertinente, et raconte-moi ce qui se passe au bar.

Elle s'installa à côté de lui et offrit son visage au soleil. Fermant les yeux, elle s'absorba dans le silence et la quiétude. Tout n'était pas silencieux, en fait. Un oiseau chanta au sommet du magnolia. Le vent fit bruire les feuilles des vieux chênes. Un écureuil traversa le toit et, au loin, le sillage d'un avion dessinait un trait blanc sur le ciel. De temps à autre, on entendait une voiture passer avec un crissement de pneus sur le goudron.

Les bruits familiers de Three Pines.

— Si tu veux faire un somme, ne te gêne pas. Mon lit est libre.

Elle cligna les paupières et s'étira.

— Désolée, j'ai failli m'assoupir.

— Tu ne peux pas continuer de brûler la chandelle par les deux bouts, mon petit.

Mon petit. Elle ne put réprimer un sourire. Elle qui dépassait Skeeter d'au moins une tête !

— Je tiens le coup.

— Et tu mens très mal.

Elle lui fit un clin d'œil.

— Le travail n'a jamais tué personne.

— Je vais me rétablir très vite, maintenant. Tu pourras te reposer.

— Bien sûr.

Mais son cœur se serra. Que deviendrait-elle si Skeeter n'avait plus besoin d'elle ? Russ Bollinger ne représentait pas vraiment une menace, mais elle s'était habituée à Three Pines, avait fini par acquérir le sentiment que sa place était ici. Puis elle revit le visage crispé de Lily Smith, entendit ses paroles rageuses. Gamble repartirait bientôt, mais Lily resterait. Si Marian s'était montrée accueillante, Lily, elle, n'en ferait pas autant. Et si elle décidait de tenir Jézabel à l'écart, elle gagnerait forcément la partie.

Ne vois pas tout en noir. C'était ce que sa mère lui

disait autrefois, quand elle était toute petite et s'inquiétait pour tout.

Jézabel s'efforça de ranger Gamble et Lily Smith dans un coin reculé de son esprit et reporta toute son attention sur son ami.

— Oscar t'envoie ses amitiés, dit-elle, taquine.

— Un chat, chez moi !

Skeeter prononçait le mot *chat* comme si c'était le pire juron.

— J'ai toujours dit que les femmes ne procuraient que des ennuis, ajouta-t-il avec un sourire en coin. Dis pour moi à ce vieux Rufus de lui mordre le derrière. Et parle-moi du bar. Louis est toujours amoureux de toi ? Et qu'est-ce que c'est que cette histoire de fougères ?

Jézabel eut un large sourire.

— Je parie que Chappy est passé te rendre visite ?

— Ouais, mais il ne sait pas raconter. Je préfère quand c'est toi.

Alors, elle se renfonça dans son fauteuil et se mit à parler.

— Pourquoi Cal voulait-il te faire entendre raison ? demanda Gamble, histoire de rompre le silence.

Lily et lui étaient plongés dans leurs pensées depuis qu'ils avaient quitté la pépinière.

— Nous avions une petite discussion au sujet d'un client, c'est tout.

Elle détourna les yeux, mais il vit ses joues se teinter de rose.

— Quel genre de discussion ?

— Rien d'important.

— Lily, je te dois des excuses.

— A moi ? Pourquoi ?

Il haussa les épaules.

— Tu sais… ce que j'ai dit au café, au sujet de la maison. Vous ne méritiez pas que je vous parle comme ça. Mais c'est… dur.

L'expression de Lily s'adoucit et elle lui posa une main sur le bras.

— Tu l'aimais tellement. Je suis comme Levi. Parfois je t'envie, mais d'autres fois… je ne suis pas sûre que ça vaille le coup d'aimer autant, si ça fait souffrir comme ça.

Gamble sentit les larmes lui piquer les yeux. S'il pouvait tout effacer, renoncerait-il au bonheur qu'il avait connu avec Charlotte, juste pour éviter de souffrir maintenant ? Il regarda sa sœur en soupirant.

— Quelqu'un m'a demandé ce que ferait Charlotte si elle était à ma place.

Lily haussa les sourcils, mais elle ne le questionna pas. Gamble fixait la route.

— Elle s'en sortirait mieux que moi, j'en suis sûr. Elle a toujours été quelqu'un de bien. Je ne la méritais pas.

— Tu te trompes, protesta Lily. Tu la traitais comme une princesse. Un jour, elle m'a dit que toute femme devrait avoir un chevalier servant, comme elle. Tu l'as rendue très heureuse, Gamble.

— Alors, pourquoi est-ce qu'elle a…

Il s'interrompit brusquement. Il ne savait que trop ce qui avait poussé Charlotte à vouloir porter leur enfant, mais il ne pouvait toujours pas le lui pardonner. Et il ne l'admettrait jamais. Surtout pas devant sa jeune sœur, qui trouvait leur histoire si romantique.

— Pourquoi quoi ?

— Non, rien. Et donc, qu'a fait ce client pour provoquer une si vive discussion entre Cal et toi ?

— Elle a juste…

Lily marqua une pause, puis reprit d'un air révolté :

— Je n'arrive pas à croire que cette garce ait eu le culot de profiter de la situation, Gamble. De te séduire pour te pousser à lui vendre le cottage ! Je n'ai jamais rien entendu de si odieux.

Gamble tourna vivement le volant et s'engagea dans les allées de l'hôpital.

— Jézabel est venue à la pépinière ?

Lily avait-elle réellement percé à jour la jeune femme ? Au moment même où il se posa la question, il rejeta cette idée. Jézabel ne savait même pas son nom quand elle avait commencé à flirter avec lui… n'est-ce pas ?

Il avait beaucoup bu, ce soir-là, et ses souvenirs

étaient loin d'être clairs. Etait-ce vraiment ce qu'elle avait eu derrière la tête ? Avait-elle voulu se servir de ce corps de rêve pour le séduire et le pousser à accepter son offre d'achat ?

« Eh bien, dans ce cas, vous avez raté votre coup, mademoiselle Hart », lui lança-t-il comme si elle pouvait l'entendre.

— Elle a eu le toupet de venir acheter des fleurs pour maman, reprit Lily. Ce n'est pas incroyable ? Je l'ai remise à sa place, je te le garantis. Après avoir essayé de séduire mon frère, elle jette son dévolu sur ma mère ? Désolée, ça ne marche pas.

Jézabel, une pure manipulatrice ? Des images revinrent à l'esprit de Gamble qui contredisaient cette hypothèse. Jézabel lui promettant une nuit de plaisir, mais sans rien exiger en échange. Jézabel, pudique, les bras croisés sur la poitrine. Jézabel qui l'avait laissé libre de rentrer chez lui, aussi…

Et puis son rire, la chaleur de son corps blotti contre le sien. Ce sentiment de profonde communion, pendant quelques instants, après l'amour…

Une main s'abattit sur le capot. Gamble tressaillit et vit le visage de Noah. Son frère souriait. Levi se tenait à côté de lui, l'air tout aussi réjoui. Alors Lily bondit hors de la voiture.

— Comment va-t-elle ? Elle vous a parlé ? Que dit le médecin ?

— Doucement, Lily ! s'exclama Noah en levant

les mains devant lui. Une question à la fois. Tout va très bien.

Gamble respira un peu plus librement.

— Elle n'est pas encore complètement tirée d'affaire, mais le médecin est optimiste. Cela dit, la convalescence sera longue…

Le sourire de leur frère s'élargit et il ajouta :

— Elle nous a déjà demandé de fixer une date pour la fête.

Levi coupa la parole à son jeune frère et précisa :

— Il faut qu'elle retourne encore plusieurs jours à l'hôpital, puis qu'elle fasse une longue rééducation. Elle n'est donc pas près de pouvoir danser !

— Mais elle sera à la maison ! dit Lily. Elle sera bien.

— Tu vas avoir beaucoup de choses à prendre en charge, Lily. Sa guérison complète demandera peut être des mois.

— Je m'en moque. L'essentiel, c'est qu'elle rentre chez elle.

— Je ferai tout ce que je pourrai pour t'aider, puisque Noah doit reprendre le travail et Gamble va retourner à New York. Je pourrai te relayer le soir, en sortant de la clinique. Néanmoins, il restera le travail à la pépinière. Et les bénéfices ne permettent pas d'engager plus d'ouvriers, n'est-ce pas ?

— Oubliez New York.

Gamble avait prononcé les mots sans même réfléchir.

Levi parut intensément soulagé, puis il fronça les sourcils, aussitôt imité par Lily.

— Ta carrière vient à peine de démarrer, ce n'est pas très judicieux de lâcher maintenant. Et ton appartement, qu'est-ce que tu vas en faire ? Les loyers sont trop élevés à New York pour continuer de payer alors que tu n'y habites pas.

Gamble n'avait pas de réponse. Même, il redoutait de rester à Three Pines. Mais leur famille avait toujours été très unie, et il regrettait de ne pas avoir été très présent depuis la mort de Charlotte.

— Nous réglerons les détails plus tard. Je vais juste...

Il haussa les épaules d'un air vague et enchaîna :

— Je peux peindre n'importe où. Quant à l'appartement, je le sous-louerai pour garder tout de même un pied-à-terre si j'ai besoin de faire un saut à New York. Noah viendra nous aider pendant les week-ends. Tu verras, ça marchera. Il n'y a pas de raison que, Lily et toi, vous soyez pénalisés, sous prétexte que vous vivez sur place.

Levi semblait mal à l'aise.

— Gamble, maman ne t'en demanderait pas tant...

— Maman a besoin de nous tous. Assez parlé, rétorqua Gamble en donnant une claque sur l'épaule de son frère. Et ce n'est pas parce que tu es l'aîné que tu dois porter le poids du monde sur les épaules.

Il trouva la force de sourire, malgré l'appréhension, et ajouta d'un ton ferme :

— De toute façon, tu n'es pas le patron.

Ce vieux refrain les fit tous rire, et il lança, en se dirigeant vers la porte :

— Allons accueillir maman pour son grand retour dans le monde des vivants.

Lily sauta au cou de Noah, ils s'embrassèrent tous, et Gamble oublia un instant Jézabel Hart et les questions qu'il se posait sur elle. Pour la première fois de sa vie, il était impatient d'entrer dans une chambre d'hôpital.

Jézabel ramassa le test de grossesse et le posa sur la table d'un geste brusque. Elle déplia une fois de plus la notice explicative et relut. Mais rien de neuf ne lui sauta aux yeux : il fallait attendre. Attendre d'avoir dépassé la date des règles pour avoir un résultat parfaitement fiable.

— Et ils appellent ça un test précoce, marmonna-t-elle. Précoce, cela veut dire tout de suite. Pas la semaine prochaine.

Oscar sauta sur le lavabo et nicha son museau au creux de sa main.

— Et si je ne suis pas d'humeur à te câliner ?

Il se frotta contre sa main en ronronnant. Jézabel

soupira et enfouit les doigts dans son épaisse fourrure.

— Comment vais-je pouvoir patienter jusque-là
sans devenir folle ! chuchota-t-elle.

Rufus vint donner un coup de tête contre son bras.
Elle perdit l'équilibre et se rattrapa au rebord de la
baignoire. Une fois assise, elle referma les bras sur le
chien qu'elle serra contre elle.

— Et que vais-je faire si je suis enceinte de lui, bon
sang ? répéta-t-elle.

Lily s'était montrée méprisante. Gamble n'avait
pas caché sa fureur. Elle l'entendait encore lui jeter
au visage : « Tu n'es pas digne de t'essuyer les pieds
sur le paillasson de Charlotte ! » Alors, il était tellement tentant de faire ses valises et de quitter Three
Pines…

Mais elle revit l'espoir qui éclairait le regard de
Skeeter quand il pensait à leur petit paradis. Et elle en
avait par-dessus la tête de déménager, d'atterrir dans
des villes inconnues, de toujours tout recommencer
de rien.

Elle caressa encore une fois ses deux compagnons,
se leva et regarda son reflet dans le miroir.

— Tu t'es enfuie trop souvent, Jézabel Hart. Cette
fois, tu vas rester.

Elle fit couler le jet de la douche, entra dans la
baignoire puis conclut avec fermeté :

— Tu vas rester… et tant pis pour ceux que ça
gêne.

Chapitre 8

Quand Darrell arriva, Jézabel avait déjà fait la mise en place : chaises autour des tables, verres étincelants, citrons découpés en tranches et prêts à être servis, et les bols de cacahuètes alignés sur le comptoir. Le fromage pour les toasts était en train de chauffer avec les chips.

Jézabel était occupée à prendre la mesure des fenêtres. Darrell en tira des conclusions.

— Oh, oh ! dit-il. Je vois que quelque chose ne va pas.

— Bonjour, lança-t-elle d'un ton désinvolte. Pourquoi est-ce que quelque chose n'irait pas ?

Darrell prit un tablier propre dans un tiroir et le déplia.

— Parce que lorsque tu n'as pas le moral, tu te mets à décorer la salle, répondit-il. La fougère n'a déjà pas fait une très bonne impression sur la clientèle ; ne t'avise donc pas de suspendre des rideaux aux fenêtres, ma petite. Si tu essaies, j'irai moi-même chercher Skeeter dans sa maison de repos et je lui installerai un lit ici même. Il faut te remettre sur les rails de temps à autre, Jéz.

Il arborait un large sourire, mais elle se trouva incapable de répondre sur le même ton léger. Rien que d'entendre le nom de Skeeter, elle se rappelait impitoyablement que tous ses rêves au sujet du cottage venaient de s'effondrer.

— Hé… je voulais seulement te taquiner. Pas te faire pleurer.

Elle rejeta ses cheveux en arrière.

— Je ne pleure pas. Je me sens même très bien, murmura-t-elle en regardant autour d'elle d'un air égaré.

Darrell lui prit le bras, les yeux luisants de colère.

— C'est ce salaud ? Qu'est-ce qu'il t'a fait ? Peu importe. Je vais aller lui dire ma façon de penser.

Il détacha son tablier et pivota sur ses talons.

— Darrell, ce n'est pas la peine. Ça va, je t'assure.

— Oh, oui, ça se voit. J'aurais dû comprendre tout de suite pourquoi tu avais ces grands yeux tristes, quand je suis entré. Mais tu ne peux pas dire que je ne t'avais pas prévenue. Ah, non ! Je ne t'avais pas dit que ce type ne me disait rien de bon ? Bien sûr, que je te l'avais dit ! Naturellement, tu n'as pas écouté !

Il jeta son tablier sur le comptoir et se dirigea d'un pas lourd vers la porte de derrière.

— Arrête ! s'écria Jézabel. Je t'en prie. J'ai besoin de toi ici et…

A son grand soulagement, il daigna enfin se raviser.

— Il n'a rien fait contre mon gré, Darrell.

Elle avait été totalement consentante, et Gamble s'était montré un amant merveilleux, bien plus merveilleux encore que tout ce qu'elle avait osé espérer.

Alors, le problème, ce n'était pas ce qu'ils avaient fait ensemble cette nuit-là. C'était plutôt tout ce qui s'était passé ensuite. Le préservatif déchiré, la terrible réaction de Gamble quand il avait trouvé Jézabel dans le jardin du cottage, les accusations de sa sœur, auxquelles elle n'avait même pas pu répondre tant elle était atterrée et peinée. Et enfin l'envie de fuir — ce qu'elle ne pouvait pas faire, sauf à laisser tomber son cher Skeeter.

Epuisée par la somme d'émotions qu'elle avait traversées dans la journée, elle se laissa tomber sur une chaise. Darrell vint se camper à côté d'elle, bien droit, l'air outragé.

— Ecoute, Jéz, si tu veux, je suis prêt à envoyer ce type jusqu'au fin fond de la Caroline du Sud à coups de pied dans le derrière. Je ne peux pas supporter de te voir l'air aussi abattu. Cela ne te ressemble pas. Ce gars ne vaut rien. S'il a l'audace de passer cette porte encore une fois, je le lui ferai payer. Je te le promets.

Il s'accroupit à côté d'elle et continua :

— Tu devrais rentrer te coucher. Tu es exténuée. Je peux faire tourner le bar tout seul ce soir. Si je suis vraiment débordé, je demanderai à Louis de m'aider.

— Dis donc ! s'exclama-t-elle en bondissant sur ses pieds. Tu essayes de me faire peur, ou quoi ?

Il se redressa aussi et elle trouva la force de sourire, pour lui faire plaisir.

— Tu es un bon copain, Darrell. Le grand frère que je n'ai jamais eu, dit-elle en lui prenant gentiment le bras. Je t'assure que je me sens bien. Et la meilleure chose que j'ai à faire pour le moment, c'est de travailler.

Elle passa devant lui et marqua une légère pause.

— Quant à Gamble Smith, je pense qu'il ne reviendra pas. Mais je te remercie quand même de vouloir prendre ma défense.

— Three Pines n'est pas assez grand pour qu'il puisse rester longtemps caché. J'aurai une petite conversation avec lui, Jézabel.

— Certainement pas. Je te l'interdis.

Darrell haussa les sourcils.

— Shirley pourrait te dire que ce n'est pas la peine de me donner des ordres. Ça ne marche pas.

Jézabel esquissa un sourire.

— Tiens, tiens. Et si j'allais en discuter avec elle ?

Il eut un geste vague de la main.

— Je voulais te prévenir. Mais je suppose que tu es comme elle, tu n'écouteras pas.

Il saisit vivement le tablier qu'il avait posé sur le

comptoir et regagna la cuisine en marmonnant dans sa barbe.

Jézabel se sentit le cœur plus léger à l'idée qu'une personne au moins se souciait d'elle sur cette terre. Cela faisait des années qu'elle traversait la vie seule, sans appui. Le fait d'avoir des amis pour la soutenir lui réchauffait le cœur. De temps à autre, l'envie de bouger la reprenait — probablement une vieille habitude, qui resurgissait sans prévenir. Mais quel luxe d'être entourée de gens avec qui on avait une histoire ! Cela ferait bientôt deux ans qu'elle connaissait Louis, Darrell et les autres. Chaque fois qu'elle y pensait, elle éprouvait un frisson à l'idée d'avoir un passé et un avenir au même endroit, avec les mêmes gens. Les choses les plus simples, comme le fait d'avoir le souvenir du dernier Thanksgiving, de savoir que cela recommencerait en novembre, de pouvoir relier le passé au présent, étaient nouvelles pour elle. Elle avait envie de saisir chaque fragment de sa vie et de les maintenir étroitement liés, de crainte de voir tout se disloquer de nouveau.

Dans quelques instants, le bar se remplirait de gens qu'elle connaissait. Il y aurait des rires, des histoires, des querelles et, Dieu merci, quelques jurons qui viendraient alimenter sa cagnotte… Et elle serait là, comme hier soir, comme demain soir…

Jézabel redressa les épaules. Peut-être ne pourrait-elle jamais acquérir ce cottage — quoiqu'elle n'ait pas abandonné tout espoir de le faire —, mais elle serait encore là demain et le jour suivant, et encore celui d'après…

Elle y serait encore quand Gamble Smith serait reparti. Rentré à New York. Effacé de sa mémoire. Avec un peu de chance, elle ne le reverrait jamais.

« Mais si j'étais enceinte ? » songea-t-elle soudain.

Elle ne l'était pas. C'était impossible.

« Oui, mais… si tu l'es, quand même ? »

— Salut, Jéz.

C'était Louis qui venait d'entrer, Chappy sur les talons.

— On peut boire une bière bien fraîche, après une longue journée de travail ?

Chappy ricana :

— Qu'est-ce que tu racontes ? La dernière fois que tu as travaillé toute une journée, j'étais encore au berceau !

Les chamailleries habituelles commencèrent et Jézabel n'eut plus le temps de penser ni à Gamble, ni au bébé, ni au cottage.

Elle noua les bras autour du cou de Louis et l'embrassa sur la joue, où elle laissa l'empreinte de son rouge à lèvres.

— C'est nouveau, ça ? s'exclama-t-il, rouge de plaisir. Pourquoi tu m'embrasses ?

— Comme ça ! lança-t-elle joyeusement en retournant derrière le bar pour les servir.

★
★ ★

Gamble remit tout en ordre après le dîner. Alors qu'il disposait les assiettes dans le lave-vaisselle, il s'interrompit, releva la tête et contempla fixement la fenêtre, perdu dans ses pensées.

Il avait oublié le silence qui régnait en permanence à Three Pines. Et cela valait mieux. Sans cela, le vacarme incessant de Manhattan aurait fini par le rendre fou.

En l'absence de Lily, il arpenta la maison où il avait grandi, retrouvant les photos et les objets familiers. Les souvenirs d'une vie qui lui semblait à la fois lointaine et bien réelle. New York lui parut aussi éloigné que s'il n'y avait jamais mis les pieds.

Tout à coup, son regard tomba sur une coupure de presse que sa mère avait posée près de son fauteuil. La photo montrait Kat, très en beauté, le soir où elle avait décidé de l'attirer dans son lit pour célébrer dignement le succès prodigieux de son premier vernissage.

Il était à côté d'elle, sur la photo, malade d'angoisse, écœuré par les minauderies des invités qui se pressaient autour de lui pour discuter de la signification de ses tableaux, du message qu'il voulait faire passer dans sa peinture.

Il n'avait eu qu'une envie : arracher tous les tableaux accrochés aux murs et hurler comme un fou. Car le succès lui paraissait particulièrement vain, la victoire sans joie, puisque Charlotte n'était pas à ses côtés. Et le fait de savoir qu'il accomplissait tous les rêves qu'elle avait eus pour lui n'y changeait rien.

Il était vivant et elle était morte — c'était tout ce qu'il savait. Et toute la soirée il avait été obsédé par le besoin de fuir, de retourner à…

Gamble repoussa l'article sur la table. Où serait-il retourné ? Il n'avait plus rien. Il termina de lancer le lave-vaisselle puis s'empara de la télécommande et passa d'une chaîne à l'autre sans rien voir. Si bien qu'il finit par éteindre la télévision, se lever et se mettre à déambuler dans la maison.

Si seulement Noah n'avait pas dû retourner à Dallas pour ses affaires !

Ce que son frère lui avait dit de Jézabel lui revint en mémoire. Puis les paroles de Lily. *Cette garce…*

Il s'immobilisa, mains sur les hanches, et pensa sérieusement à Jézabel Hart. Etait-elle vraiment une intrigante ? Ou bien avait-elle simplement voulu prendre un peu de bon temps avec lui ? Il songea à l'affection qu'elle témoignait à Louis, à Chappy, et aux autres clients du bar… « Ils ont besoin d'une famille », avait-elle gentiment dit.

Qui était-elle, en réalité ?

Et tandis qu'il se posait la question, Gamble sut tout à coup comment il allait passer la soirée.

Le tapage lui parvint avant même qu'il ait ouvert la porte. Les grands éclats de rire, les moqueries affectueuses. Le cliquetis des queues de billard, la musique country qui s'échappait du juke-box.

Il poussa le battant de bois et entra.

Elle était là.

Sensuelle. Ce fut le premier mot qui lui vint à l'esprit. Elle portait un jean si étroit qu'on aurait pu croire qu'il avait été cousu sur elle, et taillé tout exprès pour mettre en valeur ces hanches faites pour la main d'un homme…

Il croyait encore les sentir sous ses doigts.

Le décolleté profond de son cache-cœur bleu rehaussait la beauté et la rondeur de ses seins, et une ceinture soulignait la finesse de sa taille. Chaque fois qu'elle bougeait, l'échancrure s'ouvrait davantage et laissait voir un peu plus de sa chair blanche et douce.

Dans la profusion de boucles noires qui retombaient sur ses épaules, la lumière jetait des éclats presque bleus. Elle avait retenu ses cheveux sur les côtés, révélant ainsi le dessin parfait de ses oreilles délicates et la naissance de son cou.

Des bracelets colorés s'entrechoquaient à ses poignets. Elle avait des jambes longues, interminables, et ses pieds étaient chaussés de fines sandales noires à hauts talons qui laissaient voir ses ongles vernis de rouge sombre.

Gamble sentit la tête lui tourner.

— Fichez-moi le camp tout de suite !

Darrell venait de se dresser devant Gamble, l'air furibond.

— Nous ne voulons pas de votre argent, ici. Pas après ce que vous lui avez fait.

Gamble demeura interdit.

— Je n'ai rien…

Son regard se posa sur la table où il avait renversé Jézabel la veille.

Darrell le repoussa.

— Faites demi-tour et disparaissez. Sinon, je vous ferai sortir à coups de pied dans le derrière !

Gamble serra les poings.

— Vous devriez peut-être demander à Jézabel ce qui s'est réellement passé.

Les traits de Darrell se durcirent. Gamble vit ses muscles se tendre, il leva le bras pour…

— Darrell, s'il te plaît, retourne au comptoir, ordonna alors Jézabel à voix basse en s'interposant.

Avec ses hauts talons, elle était presque aussi grande que les deux hommes qu'elle voulait séparer. A présent, elle cachait à Gamble le visage de Darrell et l'empêchait de jauger sa réaction. Quelle tête faisait-il ?

— Jéz, ne te mêle pas de ça, dit Darrell.

Un petit groupe s'était déjà formé autour d'eux.

— Darrell, je sais que tu n'as que de bonnes intentions, mais il y a déjà trop de chahut ce soir. Skeeter n'a plus les fonds pour remplacer le mobilier cassé, et si vous vous battez, la situation risque de dégénérer. Alors, je vais raccompagner M. Smith à la porte, et tout va rentrer dans l'ordre. Je t'en prie, ajouta-t-elle en posant la main sur le bras de Darrell.

Darrell lança à Gamble un regard noir, laissant entendre qu'il ne comptait pas en rester là et qu'il aurait sa revanche.

— Ne perds pas ton temps avec ce pauvre type, Jéz. Il ne vaut pas la peine que tu verses une larme de plus pour lui.

Stupéfait, Gamble dévisagea Jézabel. Elle avait pleuré ?

Il comprit à l'attitude de la jeune femme que la remarque de Darrell la mettait mal à l'aise.

— La maison offre une tournée générale ! lança-t-elle à la cantonade pour détourner l'attention de la querelle.

Cette annonce fut saluée par des acclamations dans la salle. A contrecœur, Darrell battit en retraite et regagna le bar.

— J'apprécierais que tu t'en ailles, dit-elle alors calmement à Gamble, en affichant une expression parfaitement neutre.

— Il faut que nous parlions, protesta-t-il.

Il fut intrigué par l'air soudain paniqué de Jézabel.

— Nous n'avons rien à nous dire.

Il était si proche d'elle qu'il pouvait respirer son parfum. C'était une senteur à la fois fleurie et épicée, qui se mêlait intimement à l'odeur de son corps. Un parfum de femme. Il couva du regard sa silhouette sensuelle et se sentit traversé d'une bouffée de désir.

Il aurait dû partir sur-le-champ. Mais il était comme cloué sur place.

Le snobait-elle à dessein ? Etait-ce encore une autre astuce pour le séduire et lui brouiller les idées ? Bon sang, dans ce cas, elle y réussissait très bien. Il émanait d'elle une sensualité si troublante que Gamble ne se rappelait même plus pourquoi il était venu.

Sauf que quelque chose d'irrésistible l'avait poussé vers le bar de Skeeter.

— Je t'en prie, va-t'en, fit-elle platement.

Gamble secoua la tête pour s'éclaircir l'esprit, et dit la première chose qui lui vint à l'esprit :

— Ma mère s'est réveillée.

Jézabel écarquilla les yeux.

— C'est vrai ? Formidable ! Comment va-t-elle ?

— Elle paraît encore fragile. Elle est si frêle que ça fait peur.

— Mais elle a de la ressource, rétorqua Jézabel avec conviction.

Quelqu'un la bouscula en passant et Gamble lui prit le bras. Il ne retira pas sa main.

— Elle en a toujours eu, c'est vrai, mais à présent…

Une lueur de compassion passa dans le regard de la jeune femme.

— Je comprends. Certains jours, quand je vois

Skeeter, j'ai les mêmes doutes et ça me serre le cœur. Ecoute…

Elle hésita, regarda autour d'elle et sembla prendre une décision, presque à regret.

— Allons dehors. Il y a trop de bruit ici.

Elle lança un coup d'œil derrière elle et déclara à haute voix :

— Je suis sur le parking. Pas de jurons en mon absence. Chappy, tu es chargé de ramasser les amendes pour moi si tu entends des grossièretés.

Chappy redressa la tête. Louis grommela quelques mots indistincts. Mais personne n'osa protester.

Gamble croisa le regard furibond de Darrell. Il l'ignora et emboîta le pas à Jézabel.

Lorsqu'ils furent dehors, il trouva l'obscurité et le silence déstabilisants. Il régnait sur ce parking une atmosphère presque… intime. Il ne savait plus du tout ce qu'il faisait là. Jézabel le devina et vint à son secours.

— Que disent les médecins ?

— Que la convalescence sera longue, mais que maman devrait se rétablir complètement, et que ses fonctions cérébrales sont intactes, malgré le coma.

— C'est une excellente nouvelle, non ?

— Oui, admit-il en passant une main dans ses cheveux. Seulement, elle a des mois de rééducation en perspective. Et Lily ne peut pas assumer seule la charge de la pépinière.

Gamble vit une ombre passer dans le regard de Jézabel.

— Lily m'a répété les mots qu'elle t'a jetés au visage. Je suis désolé. Elle est un peu… agressive.

Jézabel haussa les épaules d'un air dégagé.

— Elle voudrait te protéger de moi. Vous êtes unis et vous vous soutenez. La famille, ça sert à ça.

— C'est vrai. D'ailleurs, je… je vais rester.

Elle eut un haut-le-corps.

— A Three Pines ?

— Ma mère n'a pas les moyens d'engager de nouveaux ouvriers pendant sa convalescence et Lily travaille déjà beaucoup trop. Noah ne peut pas quitter son travail et Levi est trop occupé à la clinique pour consacrer du temps à la pépinière.

Il fit un geste et ajouta, fataliste :

— Je suis le seul à être disponible. Du moins, pendant quelque temps.

Jézabel faillit s'effondrer.

— Tu vas avoir besoin du cottage, j'imagine…, murmura-t-elle.

Gamble n'avait jamais pensé qu'on pouvait voir les rêves s'éteindre dans les yeux de quelqu'un. C'est pourtant ce qui se produisit. Le chagrin occupa soudain tout l'espace dans le beau regard de Jézabel.

— Je ne sais pas, murmura-t-il à son tour.

— Tu habiterais chez ta mère, sinon ?

— Pour le moment, je vais rester chez elle, oui. Quand elle rentrera… j'aviserai.

Il se sentit obligé d'expliquer :

— Je ne suis pas encore… Enfin, je n'ai pas encore eu le cran de pousser la porte du cottage.

Jézabel l'observa sans répondre. Il se sentit soudain l'air idiot et maladroit. Elle était trop gentille avec lui, il ne méritait pas tant d'égards, après l'avoir fait tant pleurer.

— Jézabel, c'est… Je…

Il fit une pause et reprit lentement :

— J'ai fait une terrible erreur, quand je t'ai dit que… que tu n'étais pas digne d'approcher du cottage. Tu avais raison : Charlotte se serait mieux comportée que moi.

Il fit un immense effort pour soutenir le regard de la jeune femme. Soudain, il se sentit vidé de ses forces.

— Je t'empêche de t'occuper de tes clients.

— En effet.

Elle tourna les talons. Et s'immobilisa, une main sur la porte. Puis elle se retourna vers lui avec raideur.

— Je devine ce que sera ta réponse, mais il faut que je te pose la question quand même. Si tu t'aperçois que tu ne peux vraiment plus vivre là-bas, et que tu ne veux pas vendre non plus, accepterais-tu de me louer le cottage ?

Il eut un mouvement de recul involontaire. Cependant, Jézabel poursuivit avant qu'il ait pu exprimer un refus.

— Fais-le pour Skeeter. Je sais que tu ne veux pas

de moi là-bas, mais Skeeter ne peut pas vivre seul. Il mérite bien de passer les dernières années de sa vie dans un endroit confortable et plus accueillant qu'une maison de repos, non ? Il dépérit, là-bas, et je ne peux pas rester comme ça, sans essayer de faire quelque chose pour lui.

Elle le fixa d'un air de défi.

— Tu n'as pas besoin de répondre tout de suite, ajouta-t-elle. Réfléchis juste à la question, d'accord ?

— Jézabel, ne le prends pas mal, mais…

— Mais quoi ? Que dois-je comprendre ? Tu ne me trouves pas assez bien non plus pour louer la maison que tu avais construite pour une femme que tu aimes encore ? Je n'ai pas la prétention d'être une sainte, mais je ne suis pas la garce que tu as l'air de penser. Encore une fois, nous étions deux, dans ce lit, Gamble, et personne ne nous avait forcés à faire ce que nous avons fait.

Elle le regarda longuement.

— Tu voudrais que je te dise d'oublier tout ça, hein ? Impossible. Skeeter représente la seule famille que j'aie eue depuis l'âge de cinq ans. Et je ne le laisserai pas tomber. Je me battrai jusqu'à la dernière seconde pour lui, même si tu crois comme ta sœur que je n'ai pas un brin de morale.

Jézabel lui tourna le dos, fit mine de s'éloigner, mais revint presque aussitôt à la charge.

— Elle a peut-être raison, tu sais, mais pas sur un point : je n'ai pas cherché à te manipuler, et je n'ai pas voulu te séduire. Tu m'as juste fait de la peine et j'ai eu envie de t'aider, bien avant de savoir qui tu étais. Et sans doute me sentais-je moi-même un peu seule, ce soir-là. Cela n'aurait jamais dû arriver, mais nous ne pouvons plus retourner en arrière pour l'empêcher. Souviens-toi seulement de ce que je viens de te dire à propos de Skeeter : je me battrai comme une tigresse. Je ferai tout ce qu'il faudra pour le rendre heureux et le maintenir en vie aussi longtemps que possible. Si tu refuses de m'aider, c'est ton droit, mais tu es dans l'erreur.

Cette fois, les yeux brillants de larmes, elle s'éloigna pour de bon.

Gamble la contempla. A cet instant, Jézabel n'était plus une belle fille, une bombe à laquelle il avait du mal à résister — c'était tout simplement une femme extraordinaire. En plus de sa beauté renversante, elle abritait un cœur passionné et courageux.

Sa générosité la rendait d'autant plus dangereuse, songea Gamble. N'empêche qu'elle méritait le respect.

— Merci, lui lança Gamble en espérant qu'elle se retourne.

Elle marqua une pause.

Puis se retourna, en effet.

— Merci pour quoi ?

— Pour avoir eu l'intention d'offrir des fleurs à ma mère.

— Oh, dit-elle platement. Rien de plus naturel.

Elle poussa la porte du bar.

— Jézabel !

Elle s'arrêta, mais cette fois ne se tourna pas, comme si elle attendait de voir ce qu'il avait à lui dire.

— Je vais réfléchir, déclara-t-il. Mais je ne peux encore rien te promettre.

Elle hocha la tête. Il y eut un silence, puis elle répondit :

— Je ne te demande rien de plus. Eh bien… bonne nuit.

— Merci.

Il tira les clés de sa poche et se dirigea vers sa voiture.

— Gamble ?

— Oui ?

— Tu devrais consulter ta mère pour les rosiers. Je pense qu'ils ont besoin d'être taillés.

Jézabel plaqua un grand sourire sur son visage, à l'intention de Darrell et du reste de ses admirateurs, puis se précipita vers les lavabos des dames. Sa clientèle étant uniquement constituée d'hommes, ces lavabos lui étaient quasiment réservés et elle y trouvait refuge.

Elle referma la porte derrière elle et s'adossa au battant. Une panique folle s'empara d'elle.

Gamble allait rester. Pour une période indéterminée.

Bon sang… Comment pourrait-elle lui cacher sa grossesse, si jamais… ?

« Tu ne sais pas, Jézabel. Tu n'es encore sûre de rien », se raisonna-t-elle.

N'empêche. Il fallait qu'elle s'en aille. Ou bien qu'elle s'enfuie. Mais pour aller où ? Tant que Russ Bollinger n'avait pas été arrêté et condamné, elle courait un risque. Et Skeeter ? Qu'allait-il devenir ?

Ses pensées tourbillonnaient comme si elle avait été ivre.

Elle essaya de se ressaisir, s'aspergea le visage d'eau froide.

Sa certitude d'être enceinte n'était peut-être due qu'à l'imagination. C'était le résultat de tous ces mois passés à s'installer à Three Pines, à y plonger ses racines. Les heures passées à rêver du cottage de Gamble, à se construire une vie stable, à l'opposé de celle qu'elle avait menée jusqu'ici.

Ce bébé était un rêve de plus, un fantasme qu'elle entretenait alors qu'elle n'était pas faite pour élever un enfant, qu'elle ne connaissait rien au rôle d'une mère.

Bien sûr, le souvenir qu'elle gardait de sa propre mère était enchanteur. Mais cela correspondait-il à une réalité, ou bien avait-elle embelli les choses ?

Elle avait eu l'occasion, depuis, de voir ce qu'était une mauvaise mère…

Peut-être serait-il raisonnable de retourner au cottage et l'observer d'un œil plus critique. Chercher les défauts cachés, au lieu de le couver d'un regard romantique. Avec plus d'objectivité, elle réussirait sans doute à se dissuader elle-même de l'acheter. Elle trouverait un autre endroit où aller, et emmènerait Skeeter avec elle.

« Et comment comptes-tu subvenir à vos besoins ? » se demanda-t-elle alors.

Elle pouvait encore gagner sa vie convenablement, grâce à la danse.

Mais elle n'en avait plus envie. Et si elle était enceinte, cette possibilité était exclue, de toute manière.

« D'accord, d'accord. Calme-toi et réfléchis. »

Dans trois jours, elle pourrait passer un test fiable. Et si elle était enceinte, cela ne se verrait pas avant plusieurs semaines. D'ici là, avec un peu de chance, Gamble serait reparti pour New York et elle pourrait de nouveau respirer.

Oui, mais s'il ne repartait pas ?

— Tais-toi ! ordonna-t-elle à la femme qui la regardait dans le miroir. Je fais de mon mieux pour réfléchir.

Elle prit une longue inspiration, puis ouvrit la porte et s'apprêta à regagner la salle. Il ne lui restait plus qu'à endosser le rôle de celle qui n'a pas le moindre souci en tête.

Chapitre 9

Lily se leva à l'aube, bien décidée à rendre visite à sa mère avant de s'attaquer à la multitude de tâches qui l'attendaient à la pépinière. Si sa mère dormait encore, elle resterait simplement assise à son chevet. Mais elle aurait parié que Marian, qui était par nature une lève-tôt, était déjà éveillée.

Lorsqu'elle arriva à l'hôpital, les infirmières commençaient déjà à s'affairer, constata-t-elle en traversant le corridor qui menait à la chambre de Marian. Dans très peu de temps, l'activité serait à son maximum. On distribuerait les plateaux du petit déjeuner, les médecins commenceraient leur tournée du matin… Mais pour l'instant, Lily avait encore l'impression que le monde retenait sa respiration en attendant le lever du soleil.

Elle s'abstint de frapper à la porte entrouverte, de crainte de déranger sa mère dans son sommeil. Celle-ci était encore très faible et l'infirmière lui avait expliqué qu'elle allait dormir plus que de coutume pendant quelque temps. Alors, Lily poussa doucement le battant et jeta un coup d'œil dans la chambre.

Sa mère ouvrit les yeux et sourit.

A ce moment, pour Lily, le soleil se leva.

— Bonjour, maman. Tu pourras supporter une petite visite ?

— Et comment !

Le ton était enjoué, mais la voix était un peu éraillée et lorsqu'elle essaya de se redresser contre son oreiller, elle ne put réprimer une grimace.

— Tu ne devrais pas bouger.

— Mais je veux te voir ! protesta Marian.

— Je suis là.

Lily arrangea l'oreiller derrière elle et lui caressa les cheveux.

— Tu veux un verre d'eau ?

— Oui, s'il te plaît.

Sa mère se pencha en avant et fronça les sourcils. Sa main tremblait et Lily l'aida à tenir le verre.

— Tu as mal, maman ?

— Non. Je me sens bien.

Mais Lily voyait bien que ce n'était pas vrai.

— Veux-tu que j'appelle l'infirmière ?

— Je ne pourrai pas prendre le médicament contre la douleur avant une demi-heure. Inutile de la déranger.

— Je vais quand même lui demander. Je reviens…

Sa mère l'arrêta d'un geste de la main.

— Je tiendrai le coup. Assieds-toi et parle-moi. C'est le meilleur remède contre la douleur. Dis-moi comment tu te débrouilles, ma chérie. Mets-moi au courant de tout.

Lily tira une chaise près du lit et prit la main de sa mère.

— Tout roule. Je voulais passer te voir avant de commencer l'arrosage.

— Je suis désolée que la responsabilité des serres retombe entièrement sur toi.

— Ce n'est rien, maman. Tu as repris conscience et tu vas te rétablir. C'est tout ce qui compte.

— Comment va Cal ?

Lily eut devant les yeux le visage de Calvin Robicheaux, avec ses yeux sombres qui la défiaient. Elle secoua la tête, comme pour chasser cette image.

— Est-ce qu'il t'aide ?

Elle éprouva une seconde de soulagement. Pour une fois, sa mère n'avait pas pu lire dans ses pensées. Elle voulait parler affaires. Tant mieux.

— Cela dépend de ce que tu entends par *aider*.

— Ta mère veut savoir si je te laisse te prélasser comme une princesse, mon petit cœur ! lança alors une voix familière depuis le seuil.

— Cal ! s'exclama Marian avec un plaisir évident. Comme c'est gentil de venir me voir.

— Il faut que je vous tienne à l'œil, dit-il en approchant du lit. Vous avez bien meilleure mine maintenant que vous êtes éveillée.

D'un geste, il se glissa à sa place et posa un baiser sur la main de Marian. Puis il la regarda en fronçant les sourcils.

— Vous souffrez, n'est-ce pas ?

— Il paraît qu'il est trop tôt pour prendre un comprimé contre la douleur, rétorqua Lily d'un ton ulcéré.

— Ah, vraiment ? Eh bien, voyons ce que peut faire ce vieux Cal. Surtout, ne bougez pas d'ici, n'est-ce pas ?

Il adressa un clin d'œil malicieux à Marian et sortit de la chambre.

La mère de Lily eut un petit rire attendri.

— Si j'avais trente ans de moins…

— Tu choisirais quelqu'un de mieux que ce… ce…

— Ce quoi, ma chérie ? Ce vaurien ? Ce voyou ? Allons, mon cœur, cet homme est venu au monde pour faire battre le cœur des femmes.

— *Les* femmes. C'est bien ce que je pense. Ce coureur ne connaît même pas le sens du mot monogamie ! Je le…

— Seigneur ! Ce pauvre Cal a le don de te mettre en boule, il me semble ?

— Il est insupportable, odieux, mal élevé et autoritaire et…

— Et loyal, bon et courageux, acheva sa mère. Et je suis sûre qu'il a fait beaucoup d'heures supplémen-

taires depuis que je suis couchée dans ce lit d'hôpital.
Je me trompe ?

— Il n'est pas spécialement bon. Et je ne vois pas
pourquoi tu le trouves courageux. C'est un repris
de justice, maman.

— C'est un gosse qui a fait une grosse bêtise et qui a
payé pour cela, rectifia Marian d'un ton sévère. Depuis
qu'il travaille chez nous, il s'est toujours montré fiable
et honnête. Et il ne compte pas ses heures, parce qu'il
tient à bien faire son travail. Ton attitude m'étonne
beaucoup, Lily. Tu as un caractère un peu vif, mais
tu te montres rarement aussi injuste.

— Je ne suis pas injuste…

— Alors pourquoi te porte-t-il autant sur les nerfs ?
répliqua Marian en fronçant les sourcils.

— Tu ne sais pas tout, maman.

A ce moment, Cal entra en coup de vent dans
la chambre. Comme s'il n'avait pas mieux à faire !
songea Lily. Il adressa un clin d'œil à la jeune femme,
qui lui lança un regard exaspéré. Puis il s'effaça en
voyant l'infirmière entrer.

— Monsieur Robicheaux…

— Appelez-moi simplement Cal, je vous en
prie.

Un sourire ravi creusa des fossettes dans les joues
de la jeune infirmière.

— Eh bien, Cal. Madame Smith, Cal dit que vous
souffrez et que les médicaments ne vous soulagent
pas suffisamment. Je peux demander au médecin de

vous donner une médication par voie intraveineuse, afin que vous puissiez contrôler vous-même vos besoins.

— Je ne veux pas me droguer inutilement. Cela ira très bien comme ça.

— Marian, la souffrance empêche votre corps de guérir. Vous devriez accepter, cela vous permettra de vous rétablir plus vite.

— J'ai la tête qui tourne. Je ne veux pas retomber...

La gorge de Lily se serra douloureusement. Sa mère craignait de perdre conscience une nouvelle fois.

— Elle ne peut pas retomber dans le coma, n'est-ce pas ? demanda-t-elle à l'infirmière.

— Non. Nous ne vous laisserons pas trop dormir, cependant pour le moment le repos est nécessaire. Ne vous inquiétez pas. Le kinésithérapeute passera dans la journée et vous commencerez à travailler avec lui.

— Tant mieux. J'ai hâte de sortir d'ici. Je veux rentrer chez moi et m'occuper de mes plantes.

Lily perçut la nostalgie dans le ton de sa mère et des larmes lui piquèrent les yeux. Elle désirait plus que tout voir Marian rentrer à la maison.

— Bientôt, maman. Mais avant tout, il faut te reposer. Prends tes médicaments. Je vais retourner travailler. Tu n'as aucun souci à te faire. Tes plantes sont entre de bonnes mains.

— Bien sûr, ma chérie.

Lily se pencha pour l'embrasser. Marian lança alors :

— Merci d'aider ma fille, Cal. Elle a beaucoup de chance de t'avoir.

Cal coula un regard vers Lily et esquissa un petit sourire malicieux. Puis il s'adressa à Marian.

— C'est aussi ce qu'elle pense. Mais elle est un peu trop timide pour le dire.

La mère de Lily se mit à rire. Lily, quant à elle, jeta à Cal un regard furibond et prit la porte.

— Au revoir, maman. Je reviendrai te voir ce soir quand nous serons tranquilles. Je t'aime.

— Je t'aime aussi, ma chérie.

Lily traversa le couloir au pas de charge, Cal sur les talons.

— C'est vrai ce qu'elle dit, tu sais, mon petit cœur. Tu as de la chance de m'avoir, déclara-t-il, lorsqu'il l'eut rattrapée en quelques enjambées.

— Tu commences à me plaire, Calvin, maugréa Lily, excédée.

Il pressa sa casquette contre son cœur et remarqua d'un air moqueur :

— Enfin ! J'attendais cette déclaration d'amour depuis si longtemps.

Elle accéléra le pas, mais le rire de Cal la poursuivit tout le long du corridor.

★
★ ★

Gamble quitta la pépinière après l'arrivée de Cal et de Lily. Le premier arborait un large sourire et la seconde était plutôt renfrognée. Il s'était chargé de l'arrosage du matin en suivant les instructions que Lily lui avait laissées. A présent c'était à son tour de rendre visite à sa mère. Seulement, auparavant, il avait quelque chose d'important à faire.

Car il ne voulait pas être obligé de se présenter devant sa mère sans être d'abord passé au cottage. Il ne se sentait pas de lui avouer qu'il n'avait pas encore mis les pieds là-bas. Pas par peur de la désapprobation de Marian, ou de sa sévérité devant un tel manque de courage, mais parce qu'elle l'avait déjà tellement entouré et soutenu après la mort de Charlotte qu'il ne voulait pas lui donner de raison de s'inquiéter de nouveau pour lui.

Quelle que soit son appréhension à l'idée de contempler son rêve tombé en ruine, il était temps pour lui de se rendre là-bas. Et en dépit de l'offre de Jézabel, il devait le faire seul.

Il atteignit bientôt l'entrée du chemin. Un panneau, qu'il avait fabriqué selon les instructions de Charlotte, indiquait la maison.

Le cœur battant, il engagea son camion entre les arbres touffus. Des fleurs de cornouillers perçaient l'ombre du bois, telles de petites étoiles blanches. Et, soudain, la tache ensoleillée de la clairière lui fit cligner les paupières.

Le piège du souvenir l'attendait dans la vaste étendue d'herbe drue.

Gamble ralentit l'allure en abordant la dernière courbe. Respira longuement, puis descendit du camion et approcha du portail.

Bienvenue à Honey Creek Cottage. Les lettres étaient un peu passées, mais on pouvait encore déchiffrer l'inscription, tracée par Charlotte au pinceau sur le panneau de bois.

Il descendit du pick-up, ouvrit grand le portail, passa rapidement les doigts sur le panneau. Là, il remonta vivement dans le camion, donna un coup d'accélérateur et franchit l'allée de graviers, jusque devant le garage qui autrefois avait été son atelier.

Alors qu'il gravissait le perron et sortait la clé qui n'avait jamais quitté son trousseau, il s'attarda à regarder le rosier grimpant. Charlotte avait voulu le planter à cet endroit pour que le parfum des fleurs pénètre dans la cuisine. De même, le chèvrefeuille qui poussait devant la fenêtre de leur chambre avait parfumé les nuits d'été et les avait accueillis chaque matin lorsqu'ils sortaient du cottage.

Les branches du rosier étaient entremêlées et se gênaient. Jézabel avait raison. Il fallait tailler.

Il ouvrit la porte grillagée de la cuisine. La peinture s'écaillait près de la poignée, remarqua-t-il. Avec le temps et les intempéries, la couleur bleue s'était défraîchie. Là aussi, il y avait du travail…

Gamble se rappelait encore le jour où il avait passé

la dernière couche de peinture, avant d'accrocher la porte sur les gonds. C'était douze ans… non, treize ans auparavant. Ils étaient jeunes et la vie était alors pleine de promesses.

Il se décida enfin à entrer, pénétra dans le petit hall qui précédait la cuisine et regarda autour de lui. La machine à laver et le sèche-linge que sa mère leur avait donnés en attendant qu'ils puissent s'offrir des appareils neufs… Mais tout leur argent était passé dans les frais médicaux, et Gamble avait dû apprendre à remplacer les courroies et à dépanner les moteurs.

« Allons, reprends-toi, s'ordonna-t-il. A ce rythme-là, maman sera sortie de l'hôpital avant que tu aies fait le tour complet de la maison. »

Il se ressaisit, fit appel à tout son courage et entra dans la cuisine de Charlotte.

La première chose qui le frappa, ce fut l'odeur. Tous les parfums appétissants qui y régnaient autrefois s'étaient envolés. Pourtant, après la mort de Charlotte, les arômes de cuisine s'étaient attardés longtemps dans la pièce. Son épouse était une cuisinière hors pair, qui adorait retrouver les recettes traditionnelles. La journée commençait toujours par un copieux petit déjeuner qu'elle mettait un point d'honneur à préparer elle-même chaque matin. Elle avait continué de le faire même lorsque la maladie et la fatigue la retenaient au lit une grande partie de la journée.

Gamble l'avait laissée agir à sa guise, comprenant que le pire pour elle aurait été d'être considérée comme une invalide. Il savait que le bacon, les gâteaux au beurre, les œufs brouillés, le café fort étaient beaucoup trop riches pour lui, mais il s'en moquait puisque le chouchouter rendait sa femme heureuse. Mon Dieu, comme ces repas étaient délicieux… Les rôtis croustillants, les tourtes à la pâte dorée et légère… Jamais de sa vie il n'avait aussi bien mangé.

Fugitivement, la pièce retrouva la magie disparue. Il crut voir Charlotte fredonnant devant le fourneau. Des mèches blondes échappées de son chignon retombaient sur sa nuque et frisaient un peu dans la chaleur humide de la cuisine. Quand il la surprenait ainsi, Gamble traversait la pièce à pas de loup et essayait de lui voler un baiser dans le cou avant qu'elle n'ait senti sa présence.

Et alors, il y avait ce merveilleux sourire, lorsqu'elle se retournait… Un sourire splendide, qu'elle ne réservait qu'à lui.

L'image se dissipa tout à coup.

Une horrible sensation de culpabilité envahit Gamble, lui serra la gorge. Il agrippa le bord du comptoir et s'abandonna une fois de plus au chagrin, au sentiment âpre d'une perte irrémédiable.

Mais à sa grande surprise, il fut aussi caressé par le souvenir doux et éphémère d'un plaisir infini, comme si quelque chose de Charlotte demeurait ici, malgré tout, en suspens.

Il ferma les yeux. Prêta l'oreille au silence qui l'enveloppait.

« Je t'en prie. Sois là, près de moi. Si tu savais comme je voudrais... », supplia-t-il. Il voulait tant la retrouver, même s'il ne le méritait pas.

Soudain, la sensation s'évanouit. Gamble déglutit, se ressaisit et continua son exploration de la maison.

Dans le salon, il se trouva face au seul tableau qui avait survécu à une nuit de cauchemar. Lorsque Charlotte avait disparu, il avait voulu peindre son portrait sur-le-champ, pour ne pas la perdre tout à fait. Mais il s'en était trouvé incapable et, dans sa rage, il avait brisé les cadres de ses tableaux, déchiré les toiles. Habité par un chagrin insupportable, il avait tout détruit — avant de s'arrêter devant le tableau qu'elle préférait. Celui-ci représentait le cottage tel qu'ils l'avaient imaginé avant même qu'il ne soit construit.

Elle aurait trop souffert de voir ce tableau en lambeaux. Alors, Gamble avait suspendu son geste destructeur, sa main s'était figée au-dessus de la toile. Il s'était effondré sur le sol en serrant le cadre contre lui. Le lendemain, sa mère l'avait trouvé là, prostré. Levi l'avait emmené loin du cottage et, pendant son absence, sa mère et Lily avaient remis de l'ordre et vidé la chambre d'enfant de tous ses meubles.

Il n'avait pas la moindre idée de ce que le mobilier était devenu. Même pas le berceau qu'il avait passé des heures à fabriquer.

A vrai dire, il s'en moquait.

Il se campa devant la cheminée et examina le seul tableau qui lui restait de cette période.

Il dut admettre qu'il avait progressé, depuis. Il peignait maintenant avec plus d'assurance.

Mais son travail était aussi moins spontané. Cette toile irradiait l'espoir et l'énergie. A cette époque, il ignorait le chagrin, autant que les remords. C'était un jeune homme qui avait peint cela, presque encore un adolescent qui n'imaginait pas de faute qu'on ne puisse se pardonner.

Gamble tourna le dos à ce souvenir qui contenait ce qu'il y avait eu de meilleur en lui. Il se dirigea d'un pas lent, un peu à contrecœur, vers le deuxième lieu crucial de la maison : la chambre. Le lit, où avait été conçu l'enfant. L'enfant qui avait tué Charlotte.

Chaque pas lui paraissait plus lourd que le précédent. S'il avait un jour envisagé de revenir vivre ici, à présent il comprenait que c'était exclu. Il s'était senti en sécurité ici. Aimé. Fort. Le fait d'être entre ces murs, autrefois témoins de son bonheur, était aujourd'hui une vraie torture.

Tout en traversant le couloir, il fit un effort pour ne plus penser au passé, pour se concentrer sur le présent. Et il remarqua qu'il n'y avait ni poussière sur les meubles ni toiles d'araignées dans les coins.

Sa mère était certainement passée par là. Avec l'espoir qu'il changerait d'avis et accepterait finalement de revenir pour son anniversaire. Qui aurait pu deviner que, ce jour-là, elle se retrouverait dans un lit d'hôpital, plongée dans le coma ?

A cette pensée, il eut soudain hâte de terminer sa visite. Il se sentit pressé de s'échapper pour se rendre à l'hôpital. N'avait-il pas affronté suffisamment de démons comme ça ?

« Mais les démons du passé auront ta peau si tu ne te résous pas à ouvrir cette dernière porte », se dit-il douloureusement.

Il posa la main sur la poignée et poussa le battant. S'obligea à franchir le seuil de la chambre.

Le soleil entrait à flots, projetant ses rayons de miel sur le parquet ambré. Combien d'heures avait-il passées à mesurer, couper, ajuster... puis à vernir les planches pour leur donner cet aspect satiné ? Et tout en travaillant, il parlait et riait avec Charlotte, qui lui apportait des tasses de thé pour l'encourager.

Le lit était toujours le même, mais les draps bleu et ivoire avaient disparu. A leur place, on avait mis un couvre-lit d'un vert profond, qui se mêlait à des tons de bronze et de bordeaux. Il n'y avait plus de rideaux de dentelle, plus de flacons de cristal sur la coiffeuse.

Gamble alla vers le placard et eut une hésitation avant d'ouvrir. Que souhaitait-il voir, en réalité ? Les vêtements de Charlotte ?

Il ouvrit. Le placard était vide.

Sa mère... pourquoi avait-elle fait cela ?

Mais il savait pourquoi : il avait hurlé quand elle

avait suggéré de trier les affaires de Charlotte et de donner ses vêtements. Et il l'avait mise à la porte de chez lui.

Elle était revenue de nombreuses fois, mais le sujet n'avait plus jamais été évoqué. Toutefois, elle n'avait pas renoncé à lui faire reprendre contact avec le monde, avec la vie.

Marian voulait l'obliger à faire face à l'absence, tout en lui épargnant les aléas matériels difficiles.

Il passa en revue ses propres vêtements, rangés de façon à prendre tout l'espace. Il chercha en vain une trace des affaires de Charlotte, un effluve de son parfum…

Mais tout ce qu'il sentit, ce fut les sachets de bois de cèdre qui garnissaient les étagères.

Et il ne retrouvait plus dans sa tête le son de sa voix.

Une panique folle le saisit, tandis qu'il brassait ses souvenirs, s'accrochait à des bribes qui lui revenaient fugacement en mémoire et lui échappaient aussitôt.

Comment sa propre mère avait-elle pu lui faire cela ?

— Tu m'as privé des seules choses qui me restaient d'elle ! s'écria-t-il.

Puis, il sortit comme un fou de la chambre, cherchant partout désespérément les preuves que sa femme avait bien vécu ici. Bon sang, tout avait été effacé, il ne restait plus rien d'elle dans la maison qu'elle avait habitée, qui avait été et serait toujours la sienne ! Et seulement la sienne !

Il sortit en claquant violemment la porte derrière lui, prit ses clés dans sa poche, grimpa dans la camionnette et passa la marche arrière. Il recula dans l'allée, si vite qu'il manqua heurter un des cornouillers que Charlotte aimait tant.

Il écrasa la pédale de freins, jeta la voiture sur le côté…

Le véhicule s'immobilisa. Il crispa si fort les doigts sur le volant que ses phalanges blanchirent.

Puis Gamble laissa retomber sa tête sur ses bras, avant d'éclater en sanglots.

Jézabel avançait lentement le long du chemin étroit. Elle voulait considérer le cottage d'un œil neuf, tranquillement, en espérant voir surgir des défauts, découvrir que la maison avait perdu tout attrait à ses yeux. Que le rêve pouvait s'évanouir sans que cela la fasse souffrir.

Perdue dans ses pensées, elle manqua percuter l'arrière d'une camionnette dans la dernière courbe du chemin. Le conducteur du véhicule semblait écroulé sur son siège.

Elle freina, coupa le contact et sauta à l'extérieur, en laissant sa portière ouverte.

Et lorsqu'elle s'approcha de la camionnette, elle le reconnut.

C'était Gamble Smith. Oh, mon Dieu... Etait-il... ?

Elle était sur le point d'ouvrir la portière de la camionnette, quand elle s'aperçut que ses épaules tremblaient. Il était secoué de sanglots. Elle recula. Le moment était trop grave et sans doute trop douloureux pour qu'elle puisse intervenir.

Mais avant qu'elle ait pu tourner les talons, il leva la tête et l'aperçut.

Alors, Jézabel se figea : il avait une mine épouvantable. Il semblait ravagé de chagrin. Blessé jusqu'au plus profond de son âme.

— Je suis... je suis désolée, dit-elle. J'allais juste...

Elle se raidit, s'attendant à le voir surgir du camion comme un diable pour déverser sa colère sur elle et lui rappeler qu'elle n'avait rien à faire ici.

Mais il se contenta de la regarder fixement, comme s'il était trop exténué pour réagir. Que devait-elle dire ? Elle ne s'était jamais sentie aussi mal à l'aise de sa vie.

Il avait l'air si perdu qu'elle ne pouvait céder à la force qui la poussait à fuir. Elle décida donc de faire face à la situation du mieux qu'elle pouvait.

— Tu arrives, ou tu t'en vas ? lui demanda-t-elle.

Il ne répondit pas. Elle vit seulement qu'il serrait les dents.

Jézabel inspira profondément et continua bravement :

— Tu veux... parler ?

Il eut un mouvement de recul. Résistant de nouveau à l'envie de tourner les talons, elle s'approcha de la camionnette.

— Gamble, si tu veux que je fasse demi-tour, dis-le. Je m'en irai sur-le-champ. Mais si tu préfères ne pas rester seul...

— Arrête de parler, ordonna-t-il d'un ton brusque.

Il ouvrit sa portière et descendit du véhicule. Ses yeux semblaient lancer des éclairs.

— Pourquoi es-tu... ?

Il fit un effort visible pour ne pas finir sa phrase, et baissa les yeux.

— Peu importe pourquoi tu es venue. Tu n'aurais pas dû.

Il frissonna et ajouta :

— S'il te plaît, va-t'en.

Jézabel n'avait qu'une envie : faire ce qu'il demandait. Cependant, une voix lui soufflait de rester. Même si elle n'était pas la personne idéale pour lui tenir compagnie, il valait mieux ne pas le laisser seul. Il avait besoin de quelqu'un.

Mais cet homme-là ne se livrait pas facilement. Il gardait tout à l'intérieur. Il aurait du mal à parler de ce qui le tourmentait. La plupart des hommes ne savaient pas se confier, mais Gamble était encore plus réservé que la moyenne.

Elle décida donc de ne pas le prendre de front. Redressant les épaules, elle passa devant lui et se dirigea vers un massif de fleurs.

— J'ai lu un manuel sur l'entretien des azalées. Il y a quelque chose que je ne comprends pas. Comment peut-on être sûr de ne pas leur donner trop d'engrais ?

Ses paroles furent suivies d'un silence de plomb. Elle s'efforça de ne pas regarder Gamble. Elle était aussi nerveuse qu'un prisonnier s'évadant sous le nez de ses gardiens. De deux choses l'une : soit il lui répondait, soit il laissait exploser sa colère.

En tout cas, quelle que soit sa réaction, elle le sortirait de l'état de prostration dans lequel elle l'avait trouvé. Elle n'avait pas peur de lui, elle savait qu'il ne lui ferait aucun mal. Leur liaison avait eu beau être brève et compliquée, elle avait décelé chez lui une douceur et une gentillesse naturelles. Elle ne courait donc aucun risque.

Elle continua d'improviser en s'avançant vers un arbuste.

— C'est un cornouiller, n'est-ce pas ? Dommage que leur floraison ne dure pas plus longtemps. Mais je suppose que nous leur trouverions moins de charme s'ils étaient fleuris toute l'année…

« Continue de bavarder, Jéz. Fais diversion. »

— Faut-il les tailler régulièrement ? Je me demandais aussi s'il était nécessaire de faire des greffes sur ces arbres…

— Jézabel…

Le ton était plat.

— Oui ?

— Où veux-tu en venir ?

Elle perçut une légère note de curiosité dans sa voix. Elle esquissa un pâle sourire, comme un condamné tentant de distraire l'attention du bourreau pour gagner quelques secondes.

— J'admire ton jardin, c'est tout.

Il laissa échapper un soupir excédé.

— Que faut-il que je dise pour te persuader de partir ?

Jézabel se mordilla les lèvres et chercha le regard de Gamble.

— Je ne sais pas.

Elle le vit se détendre imperceptiblement. Il parut hésiter, chercher parmi toute une série de réponses possibles.

— Je pensais que nous nous étions mis d'accord. Je devais réfléchir à la possibilité de te louer le cottage. Mais cela veut dire qu'il faut attendre un peu. Toi, tu… tu patientes et pendant ce temps je réfléchis.

— Oui, j'ai compris, mais…

Elle pencha la tête de côté et avoua :

— J'essayais de te faire une faveur. De me convaincre

que je ne voulais plus du cottage, pour t'éviter d'avoir à réfléchir plus longtemps.

— Ah, vraiment ?

A chaque mot qu'il prononçait, elle avait l'impression de voir son désespoir s'alléger, s'effacer.

— Et ça a marché ? demanda-t-il.

Elle secoua la tête en signe de négation.

— Désolée. Il me plaît toujours autant.

Gamble eut un mouvement d'exaspération et elle s'empressa de le rassurer :

— C'est bon, Gamble. Je sais que tu ne veux pas de ma présence ici, et je comprends tout à fait que tu veuilles garder ce très bel endroit pour toi. De toute façon, ce n'est pas la première fois que je n'obtiens pas ce dont j'ai envie. C'est ma vie, ça. Aussi, si tu veux bien me permettre de faire le tour du propriétaire encore une fois, je te promets de ne plus jamais te…

Il leva une main pour la faire taire. Elle cessa de parler et le regarda se plonger dans un débat intérieur.

Au bout de quelques secondes, il referma la portière de la camionnette et demanda :

— Tu veux entrer dans la maison ?

Le cœur de Jézabel battit plus fort. Elle se mordit les lèvres et dit simplement :

— Non.

— Non ? répéta-t-il, en fronçant les sourcils.

— J'en ai envie, bien sûr. Plus que tout. Mais ce ne serait pas bien.

— Pas bien pour qui ?

Elle soutint son regard.

— Pour toi comme pour moi. Je préfère ne pas être davantage tentée par ce que je ne peux pas avoir, et tu ne tiens pas tant que ça à ce que je pénètre dans un lieu si spécial pour toi.

Elle haussa les épaules d'un air dégagé et ajouta :

— Je ne t'en veux pas, Gamble. Honnêtement, je ne peux rien te reprocher. Si j'avais aimé quelqu'un comme tu as aimé ta femme, j'éprouverais aussi le besoin de garder ce cottage comme une sorte de sanctuaire.

— Mais tu ne le ferais pas, c'est ça ?

— Pourquoi dis-tu cela ?

— Tu en ferais une sorte de foyer pour les filles perdues, les vieillards solitaires et les chiens abandonnés. Même si tu éprouvais du mal à y vivre, tu trouverais un moyen de le partager avec de plus malheureux que toi, j'en mettrais ma main à couper.

Elle le dévisagea d'un air circonspect.

— Range ton dédain. Et ne me fais pas meilleure que je ne suis… si c'est cela que tu veux dire.

Il lui lança un regard aiguisé et répondit sèchement :

— Moi non plus, je ne suis pas « bon ». Alors, je te donne une dernière chance, Jézabel, poursuivit-il en approchant de la maison. Entre avec moi, ou repars tout de suite.

Elle hésita, déchirée entre l'envie de voir l'intérieur de la maison et la crainte des conséquences.

Gamble se posta devant la porte et maintint celle-ci ouverte, défiant la jeune femme du regard.

— Pourquoi me fais-tu cela, Gamble ?

Pourtant, elle s'approcha. Il lui fit signe de le précéder à l'intérieur.

— Je n'en sais rien, avoua-t-il d'un air sombre.

Et Jézabel entra…

Elle fit un pas dans le hall — espérant en son for intérieur qu'elle serait déçue et ne reviendrait jamais.

Chapitre 10

Jézabel se rendit compte que Gamble ne l'avait pas suivie à l'intérieur.

Elle se retourna pour lui demander pourquoi, mais au dernier moment elle se ravisa. Gamble et elle avaient été aussi proches que deux êtres peuvent l'être physiquement, mais, malgré cela, ils restaient deux étrangers, or certaines questions ne se posaient pas, même entre anciens amants. Jusqu'ici, elle avait réussi à le bluffer. Elle ne se sentait pas le cran d'aller plus loin.

Et à dire vrai, elle était soulagée de pouvoir visiter la maison toute seule.

Elle regarda autour d'elle et sentit son cœur sombrer. Au premier coup d'œil, elle se rendit compte qu'elle ne disposerait jamais d'assez de temps pour explorer le cottage tout à son aise. Parce qu'elle aurait voulu ne plus jamais en partir. C'était tout simplement… la maison de ses rêves.

Elle se mit à déambuler de pièce en pièce, partagée entre le rire et les larmes. Elle croyait percevoir les sentiments de celui qui avait construit cette maison dans chaque objet, dans chaque trace de peinture. La douleur et le chagrin étaient toujours présents, certes, mais la maison semblait enveloppée dans un cocon de tendresse, de chaleur et… d'amour.

Amour. C'était le seul mot qui pouvait exprimer cela. Un amour tellement exceptionnel qu'elle n'avait jamais rencontré l'équivalent. Sauf en imagination.

Elle s'efforça de ne pas s'attarder, mais elle serait restée indéfiniment dans le cottage, si elle n'avait su qu'un homme l'attendait dehors. Et que pour lui, chaque seconde passée ici était une torture.

Lorsqu'elle ressortit sur le perron, elle était en larmes. Elle essaya vainement de les ravaler, s'essuyant le visage d'un geste maladroit.

— Allons bon…, dit-il d'un ton sourd, à la fois peiné et agacé.

Elle voulut parler. S'aperçut qu'elle en était incapable. Baissant la tête, elle passa devant Gamble et se dirigea vers sa voiture.

Alors qu'elle allait ouvrir la portière, elle entendit ses pas lourds derrière elle. Il lui agrippa le bras.

— Où vas-tu ?

Elle ne fit pas mine de se dégager, mais évita de croiser son regard.

— Bon sang, pourquoi pleures-tu ? reprit-il. J'espère que ce n'est pas sur moi que tu verses des larmes !

Elle se tourna vivement vers lui et s'exclama :

— Mais tu ne vois pas ? Même une pierre se mettrait à pleurer, dans cette maison !

Il recula, comme sous l'effet d'une gifle.

— Quoi ? Qu'est-ce qu'il y a de si triste pour une étrangère ?

— Je…, balbutia-t-elle en se tamponnant les yeux. Je vendrais mon âme pour pouvoir vivre ici. Je ferais n'importe quoi pour offrir cette chance à Skeeter, sauf que…

— Mais quoi ?

Elle puisa la force d'affronter son regard.

— C'est magnifique, Gamble. Encore plus beau que je ne le croyais. Je regrette presque que tu m'aies laissée entrer.

Elle tendit les mains devant elle et ajouta, d'un air accablé :

— Je n'aurais voulu manquer cela pour rien au monde. Cette maison représente tous les rêves que j'aie eus dans ma vie. Et même ceux que je n'ai jamais osé avoir.

— Et alors ?

— Personne ne peut vivre ici, à part toi. J'ai cru sentir ta présence, votre présence à tous les deux, dans chaque pièce. Comme tu as dû l'aimer…

Les larmes surgirent de nouveau et elle ne put les réprimer.

— Et comme elle se sentait bien avec toi…

— Tu parles de ce que tu ne connais pas.

— Je sais pourtant que ça doit être très douloureux de te retrouver là, sans elle…

— Tu ne peux pas comprendre.

Sa voix trahissait une douleur profonde, insupportable. Ce devait être infernal pour lui de rester à Three Pines. D'autant plus qu'il ne pouvait savoir combien de temps se prolongerait son séjour.

— Alors, explique-moi, répondit-elle doucement.

Il parut sortir un très bref instant de la forteresse qu'il avait élevée autour de lui pour se protéger du monde extérieur. Puis s'y replia de nouveau.

— Non, dit-il d'une voix calme. C'est une histoire que je ne pourrai raconter qu'une seule fois, à une seule femme.

— Comme tu voudras.

De toute évidence, cette femme spéciale, ce n'était pas elle. L'angoisse qu'elle décela dans le regard de Gamble parvint à lui faire oublier cette nouvelle humiliation.

— Mais si tu changes d'avis, la proposition tient toujours, ajouta-t-elle.

— Je ne suis pas un des chiens perdus que tu as l'habitude de secourir.

— Non. C'est un fait. Et je ne peux pas te donner ce qui te manque. Mais il y a une chose que je peux faire, si tu me le permets. Je peux être ton amie, Gamble.

Elle lui tendit la main et ajouta :

— Au revoir. Merci de m'avoir laissée entrer dans ta maison. J'imagine que cela a dû te coûter.

Pendant quelques secondes, elle crut qu'il allait refuser de lui serrer la main. Mais il finit par s'exécuter.

Elle frissonna malgré elle lorsque leurs doigts se touchèrent. Quel homme complexe ! Fort et pourtant si vulnérable. Visiblement capable d'éprouver un amour infini, mais prêt à passer le reste de sa vie dans une complète solitude. Incapable de s'abaisser à demander de l'aide.

Et à en juger par le tableau qu'elle avait vu au-dessus de la cheminée, c'était aussi un excellent peintre.

Le fait qu'il soit le père de l'enfant qu'elle portait peut-être compliquait énormément les choses pour Jézabel. C'était une perspective qu'elle ne pouvait envisager sereinement pour l'instant. Et même si elle souhaitait plus que tout être mère, il valait mieux pour Gamble qu'elle ne soit pas enceinte de lui. Il avait bien trop de problèmes sur les bras pour qu'on lui impose une responsabilité de plus.

— Eh bien, dit-elle en retirant sa main. Nous aurons l'occasion de nous croiser, je suppose.

Il la regarda fixement, sans répondre.

Puis elle remonta dans sa voiture et s'éloigna.

Gamble écouta longtemps le bruit du moteur sur le chemin. Il regarda sa main, celle que Jézabel avait serrée rapidement.

« Je peux être ton amie », avait-elle dit.

Elle pouvait aussi être une merveilleuse maîtresse.

Mais cela n'avait pas d'importance.

Ou bien, c'en avait trop, au contraire.

Quand s'était-il fait un ami pour la dernière fois ? Impossible de s'en souvenir. Les seules personnes dont il se sentait proche étaient les membres de sa famille. Charlotte aussi avait été son amie la plus chère, depuis l'enfance. Ses frères étaient ses copains...

Mais à New York, il ne s'était lié avec personne, vivant seul, en reclus, la plupart du temps. Il était là-bas pour travailler. Pour essayer de savoir si la vie valait encore la peine d'être vécue, après...

Assez.

Cette fois, il s'en rendit compte avec un choc, la voix n'appartenait ni à sa mère ni à Charlotte.

Cette voix de la raison, c'était... la sienne.

Il se tourna à contrecœur pour contempler le cottage. Pour la première fois, la silhouette qu'il vit sous le porche n'était pas celle de Charlotte. C'était... bon sang... c'était Jézabel Hart. Avec son visage enflammé, ses larmes, l'émerveillement au fond de ses prunelles vertes...

— Non... Je ne veux pas, murmura-t-il.

Il ferma les yeux, serra les paupières. Secoua la tête pour chasser la vision.

C'est le rêve que je n'aurai jamais...

— Non ! s'écria-t-il. Ce n'est pas ton rêve ! C'est celui de Charlotte. C'est... c'est le mien !

Le mien.

Il rouvrit les yeux. Si oppressé qu'il avait du mal à respirer. Et, l'espace d'un instant, il regarda le cottage avec les yeux de Jézabel. Soudain, la maison n'était plus marquée par la souffrance ni par la culpabilité. Le chagrin n'imprégnait plus ses murs. L'endroit redevenait un havre de paix et de bonheur, où résonnaient les rires, où s'exprimait la joie.

Un lieu fait pour l'amour.

« Personne ne peut vivre là, à part toi », avait dit Jézabel. Pourtant, Gamble venait d'en arriver à la conclusion qu'elle se trompait. Que personne ne méritait cette maison davantage qu'elle.

En même temps qu'il en prenait clairement conscience, il fut envahi d'un vague sentiment de honte. Il avait inhumé le meilleur de lui-même dans cette maison. Il avait transformé ce lieu de beauté et de sérénité en tombeau. Et comme dans un conte de fées très noir, un entrelacs serré de ronces commençait de conquérir la place, de la recouvrir. Bientôt le cottage serait comme mort.

Lui dont on célébrait le talent, dont on disait qu'il savait exalter la beauté sur la toile, lui qui transformait les femmes par la magie du pinceau, il était en train de laisser mourir à petit feu sa plus belle création ! Celle dans laquelle il avait mis tout son cœur.

L'heure était venue de rendre le cottage à la vie. Ne serait-ce qu'en souvenir de l'amour qu'il avait abrité naguère.

Jézabel était heureuse d'avoir autant de travail ce soir. Cela ne lui laissait pas le temps de penser. De pleurer sur le cottage qui venait de lui échapper.

Et surtout de s'inquiéter pour l'avenir de Skeeter.

— Jézabel, nous avons besoin d'un juge impartial ! brailla Chappy, à l'autre bout du comptoir.

— Pourquoi ?

Elle emporta un plateau plein, déposa les chopes sur une table, en nettoya une autre qui venait de se libérer. Elle avait mal aux pieds, mal au dos, et le plateau pesait lourdement sur son bras gauche.

— Larry et moi, nous pensons qu'un homme se fera plus vite mettre à la porte par une femme s'il oublie la Saint-Valentin que s'il oublie son anniversaire. Zell et Louis disent le contraire. Mais aucun des deux n'a approché le lit d'une femme depuis Mathusalem.

— J'ai été marié pendant quarante-sept ans, lui rappela Zell.

— C'est exactement ce que je veux dire, rétorqua Chappy avec un sourire goguenard.

LE PRINTEMPS DES PROMESSES

— Et toi, tu as été marié combien de fois ? demanda Louis. Au moins trois fois, non ?

— Donc, j'ai plus d'expérience ! conclut Chappy, triomphant. J'ai connu plus de femmes.

— Ce qui est sûr, c'est que tu t'es fait mettre à la porte plus souvent que nous.

— J'ai entendu dire que Clarissa avait non seulement l'intention de te mettre à la porte, mais qu'elle pensait à te priver d'une partie très importante de ton anatomie, ajouta Larry.

— Ah, merde.

— P…

Les quatre hommes grimacèrent.

— Darrell, sors la cagnotte, lança Jézabel.

— Allons, Jézabel, sois indulgente. Un homme ne peut pas faire autrement que de jurer quand sa virilité est menacée à ce point.

— Nous pouvons tous faire autrement et tout le monde est responsable de ses paroles. Maintenant, payez, ordonna Jézabel, implacable.

— Harpie, marmonna Louis. A côté de toi, saint Pierre est un enfant de chœur.

Jézabel alla l'embrasser sur la joue.

— Oh, mon chéri ! Tu sais me flatter comme personne.

Il y eut des éclats de rire autour d'eux.

Elle entendit la porte du bar s'ouvrir et se retourna pour saluer les nouveaux arrivants.

Levi Smith lui sourit. Elle sourit en retour.

Puis elle vit Gamble entrer juste derrière lui.

Elle n'était qu'une femme. Et elle ne put s'empêcher de marquer une pause pour admirer les deux frères. Ils étaient virils, d'une beauté à couper le souffle.

Gamble observait la salle, ce qui lui laissa une seconde pour se ressaisir et se composer une attitude d'indifférence.

Mais la seconde ne suffit pas.

Quand son regard se posa sur elle, elle comprit que c'était elle qu'il avait cherchée des yeux. Pendant un très bref instant, il eut une expression qui trahit sa gêne. Il se demandait comment elle allait le recevoir. Quelle allait être sa réaction, après la scène qui s'était déroulée le matin. Le temps sembla demeurer en suspens. Elle eut l'impression d'être prise au piège.

Et tout à coup, elle se rendit compte qu'un profond silence régnait dans la salle. Darrell, l'air plus furibond que jamais, contourna le comptoir et se dirigea vers Gamble.

Jézabel fit éclater la bulle de cristal qui l'entourait.

— Levi, comment allez-vous ? Bonsoir, Gamble.

Elle fit un signe de tête et leur adressa un sourire éblouissant.

— Comment va votre maman, ce soir ?

— Un peu mieux, je pense, répondit Levi.

Son regard se posa sur Darrell, puis sur Gamble et il eut l'air vaguement étonné.

Gamble ne dit rien, mais il ne fit pas un geste pour

éviter Darrell. Jézabel s'empressa de leur désigner une banquette.

— Cette table vient juste de se libérer, dit-elle en donnant un coup de chiffon sur le plateau de chêne. Asseyez-vous, je vais prendre votre commande.

— Pour moi, ce sera une bière, annonça Levi.

Toutefois, il ne fit pas mine de s'asseoir. Visiblement, il se tenait prêt à voler au secours de son frère.

Gamble demeura silencieux.

— Darrell, je peux te voir une minute ?

Ce dernier ne répondit pas et Jézabel soupira lourdement.

— Les hommes…

Elle alla se planter devant lui et déclara d'une voix claire :

— Levi a demandé une bière, Darrell. Et toi, Gamble, que prendras-tu ? lança-t-elle par-dessus son épaule.

— Un morceau de Darrell, ce sera très bien.

— Asseyez-vous. Tous les deux.

Puis elle fit face à Darrell et désigna le comptoir.

— Toi, retourne travailler.

Les trois hommes firent la sourde oreille. Un murmure s'éleva autour d'eux.

Jézabel laissa délibérément tomber un verre sur le sol. Le fracas de verre brisé fit sursauter tout le monde.

— Que diable… ! s'écria Darrell.

— Maintenant que j'ai votre attention à tous…, dit-elle d'un ton aigre-doux. Chappy, s'il te plaît, veux-tu ouvrir la porte pour faire un peu de courant d'air ? Il semble que nous ayons trop d'électricité, ici. Louis, tu veux bien appeler Shirley et lui demander de venir chercher son mari ? C'est lui qui paraît le plus gravement atteint. Dis-lui bien de ne pas amener les enfants. C'est peut-être contagieux.

— Tu es un peu dure, fit remarquer Chappy.

— Tu n'as pas besoin de nous insulter, grommela Louis.

— Quand je me mettrai à vous insulter vraiment, vous vous en apercevrez. Maintenant, je vais chercher le balai pour nettoyer les débris de verre. Quand je reviendrai, j'espère que tout le monde sera en train de s'amuser gentiment.

Elle fit le tour de la salle du regard et ajouta :

— Je suis bien claire ?

Les uns après les autres, les hommes repartirent en traînant les pieds, qui retrouvant son jeu de poker, qui la table de billard. Il y eut bien quelques protestations çà et là, mais elles demeurèrent étouffées.

Elle entendit un rire derrière elle et se retourna. Levi arborait un large sourire. Gamble s'assit d'un air maussade à la table qu'elle leur avait désignée.

— Vous voulez un coup de main pour le nettoyage ? demanda Levi.

— Vous, vous irez loin. Vous semblez avoir un certain potentiel, fit-elle remarquer.

— Ma chérie, vous n'en avez pas idée, déclara le grand séducteur de Three Pines.

Jézabel éclata de rire.

— Et toi, ajouta-t-elle à l'intention de Darrell, tu dois un dollar à la cagnotte.

Darrell marmonna quelques mots indistincts et regagna le bar en accablant Gamble de regards noirs.

Cependant, avant qu'il ait pu sortir un billet de son portefeuille, Jézabel en prit un dans sa poche et le glissa dans la jarre de céramique qui servait de cagnotte. Darrell haussa les sourcils, et elle expliqua :

— Ce ne serait pas juste de te faire payer alors que c'est moi qui t'ai surpris en laissant tomber ce verre. Mais je n'ai pas besoin que tu me défendes contre Gamble, ajouta-t-elle en lui prenant la main.

— Je lui casserai la tête s'il te fait du mal.

Il mit tout de même un billet dans la cagnotte, puis alla servir la bière pression de Levi.

Jézabel soupira et partit chercher le balai.

Levi traîna un moment avec son frère, but deux bières et fit une partie de billard. Puis il partit, en prétextant une opération qui devait avoir lieu tôt le lendemain.

Gamble resta au bar, s'attardant pour finir sa deuxième bière. Sa table était jonchée de sets en papier blanc sur lesquels il avait croqué les habitués.

Louis en train de se quereller avec Chappy.

Darrell essuyant un verre, tout en surveillant Gamble du coin de l'œil.

Jézabel penchée sur une table.

Jézabel en train de rire, son plateau à bout de bras. Jézabel encore, adossée au comptoir, les bras allongés sur la rampe de cuivre, les cheveux dénoués, ses boucles noires cascadant sur ses…

— J'ai l'impression que cette bière est éventée. Il faudrait la changer, dit-elle.

Il glissa cette dernière esquisse sous les autres. Tenta de faire une pile ordonnée, mais les feuilles de papier tombèrent sur le sol en tourbillonnant.

— Je vais les ramasser…

— Non, laisse.

Ils se baissèrent en même temps et se cognèrent l'un contre l'autre.

— Oh…

Elle se releva, une liasse de papiers à la main, et se frotta le front.

— Ça va ? demanda-t-elle avec un petit rire nerveux.

— Oui. Passe-moi ces croquis.

— Pas question. Je suis payée pour nettoyer, ici. Enfin, je ne suis pas vraiment payée, mais…

Les mots s'éteignirent sur ses lèvres, tandis qu'elle examinait les dessins qu'il avait posés sur la table.

— C'est quoi ? demanda-t-elle avec un petit rire de gorge. Oh, regarde Louis. C'est tout à fait lui. Et Chappy.

Elle baissa les yeux et regarda ceux qu'elle tenait encore à la main.

— Oh. Oh, je suis désolée, je les ai froissés. Voilà…

Elle les étala sur la table et les lissa du plat de la main.

Gamble abattit une main sur les croquis.

Trop tard. Elle se mit à les regarder en silence. Et constata que la plupart la représentaient.

Et avant qu'il ait pu le récupérer, elle vit celui où il l'avait dessinée dans une tenue imaginaire. Une sorte de tunique translucide drapée sur une épaule. Il avait pensé en la dessinant que le tissu était vert émeraude, afin de faire ressortir les yeux de la jeune femme. Elle ressemblait à une Gitane aux pieds nus. Son cou et ses oreilles étaient ornés de lourds bijoux de bronze, ses lèvres sensuelles seraient ensuite teintées de rose. Sous le tissu qui moulait ses formes somptueuses, on devinait la pointe brune des seins et un triangle de boucles sombres. Pourtant, en dépit de l'érotisme qui se dégageait du dessin, celui-ci avait quelque chose de poignant et de romantique.

— J'ai l'air… doux, murmura-t-elle. Mais je ne le suis pas. Je ne peux pas me permettre d'être aussi douce. Je parais aussi très belle sur ton dessin.

— Mais tu l'es, répondit-il.

— Non. Oh, bien sûr, j'ai…

Elle eut un geste désinvolte pour désigner ses courbes.

— J'ai cela. Je ne peux pas m'en plaindre. C'est ce qui m'a permis de toujours trouver du travail, alors que je n'avais aucune qualification. Mais…

Elle se tut et ses joues s'enflammèrent.

— Je vais te chercher une bière fraîche.

Elle se leva lentement, à regret, laissant traîner ses doigts sur le croquis avant de s'écarter de la table.

— Tu veux le prendre ? s'entendit-il demander.

De fait, il aurait aimé garder pour lui celui où il l'avait représentée en bohémienne, mais il poussa la pile de dessins dans sa direction et proposa :

— Prends-les tous. J'en ferai d'autres.

— Toute une collection de Gamble Smith pour moi ? Les gens payent très cher pour avoir un tableau de toi.

Il sourit, touché par sa réaction.

— Ce ne sont que des esquisses. Et je ne suis pas célèbre à ce point.

— Tu le seras un jour, à en juger par ces dessins. Et par le tableau que j'ai vu aujourd'hui dans le cottage.

Elle se raidit tout à coup et ajouta d'un ton sourd :

— Je suis désolée. Je n'aurais pas dû faire allusion à cela.

Mais il fut lui-même étonné de constater que ses paroles n'avaient pas réveillé l'insupportable souffrance à laquelle il était habitué. A peine un fugitif pincement douloureux.

— Je… euh… J'ai décidé de commencer à nettoyer

le jardin du cottage demain après-midi. Une fois que j'aurai rendu visite à ma mère et que j'aurai fini d'aider Lily.

Un long silence embarrassé suivit cette déclaration.

— Je ne suis pas encore sûr, Jézabel. Je veux dire… Je ne sais toujours pas ce que je vais faire du cottage.

Il soupira et enchaîna :

— Je suis désolé. Cela ne t'aide pas beaucoup, je suppose.

— C'est bon… Je comprends. Je… je me débrouillerai.

Il n'en doutait pas. Elle se débrouillerait toujours dans la vie. Mais là n'était pas la question.

— Il faut que j'aille chercher ta bière.

— Non.

Il lui saisit le poignet et ils se figèrent tous les deux.

— Je dois m'en aller. La journée de travail commence très tôt, à la pépinière.

— Oh. Bien sûr.

Elle laissa courir ses doigts sur les dessins qu'elle avait soigneusement empilés.

— Ils sont à toi, dit-il en se levant.

Il se tint un instant à côté d'elle. Respira le parfum de ses cheveux. Une brassée de roses qui perçait l'atmosphère enfumée du bar et dominait l'odeur de bière.

Elle fut parcourue d'un léger frémissement. Puis elle leva les yeux vers lui.

— Je… Merci, dit-elle en ramassant la pile de croquis. Je n'arrive pas à imaginer ce que ça doit être, d'avoir un tel talent. J'en ai le souffle coupé, ajouta-t-elle, avant de lui tourner le dos pour regagner le bar.

« Eh bien, moi aussi », aurait pu ajouter Gamble. Mais elle était déjà presque trop loin pour l'entendre. Il se décida cependant à lancer d'une voix étranglée :

— Si tu… si tu veux passer demain pour…

Il hésita, leva les mains devant lui et balbutia :

— Je ne sais pas… Pour superviser, ou quelque chose comme ça…

Elle eut un sourire incertain, mais cela suffit pour aider Gamble à se détendre.

— Oui, dit-elle doucement. Je viendrai peut-être.

Il la regarda repartir. Il l'avait dessinée toute la soirée, sous tous les angles. Mais il n'avait pas réussi à percer le mystère qu'elle portait en elle.

Il y parviendrait.

Une force nouvelle et irrésistible le poussait, désormais.

Chapitre 11

Le téléphone de Jézabel sonna tôt le lendemain matin.

— Allô ?

— Mademoiselle Hart ? Je suis Gary Lansing, assistant du procureur.

Elle sentit son estomac se nouer.

— Oui ?

— Une date a été fixée pour le jugement du dossier Bollinger.

— Quand aura-t-il lieu ?

Elle aurait dû être soulagée d'en finir enfin avec cette affaire, mais elle n'avait aucune envie de retourner à Vegas pour le moment.

— La sélection des jurés commencera lundi.

— Que suis-je censée faire ?

— Il ne faudra que quelques jours pour constituer le jury. Nous aimerions que vous vous rendiez à Vegas au plus tôt.

Un frisson d'appréhension lui parcourut le dos. Elle

voulait oublier Vegas et la vie qu'elle avait menée là-bas. Tout cela était derrière elle.

— Je ne pourrai pas m'absenter très longtemps, monsieur Lansing. Je ne resterai que le temps strictement nécessaire pour témoigner. J'ai une affaire à tenir ici.

« Et de toute façon, je ne tiens absolument pas à me retrouver à proximité de Russ Bollinger et de ses acolytes », songea-t-elle avec angoisse.

— Le bureau du procureur n'a pas les moyens de vous payer des billets de dernière minute, mademoiselle Hart. Vous ne pouvez pas demander à quelqu'un de vous remplacer ?

Darrell pouvait effectivement s'occuper du bar en son absence si c'était nécessaire. Mais ce n'était pas la question.

— Pas vraiment, répondit-elle d'un ton laconique.

— Je vois.

Mais le ton de l'assistant du procureur était loin d'être conciliant. Si seulement elle avait pu se payer ses billets. Et si seulement elle n'était pas obligée d'y aller !

— Monsieur Lansing, êtes-vous certain que mon témoignage est indispensable ?

— Mademoiselle Hart, nous pouvons légalement vous obliger à assister au procès.

Si Gamble acceptait sa proposition d'achat pour le cottage, elle n'avait pas intérêt à dépenser son argent pour un billet d'avion de dernière minute. Mais elle avait hâte d'être débarrassée du poids du passé.

— Je m'arrangerai, monsieur Lansing. Faites-moi simplement savoir la date à laquelle je dois me trouver à Vegas.

Elle s'éclaircit la gorge et ajouta d'une voix ferme :

— Vous pouvez compter sur moi.

— Il serait plus prudent de voyager sous notre protection, mademoiselle.

Elle en doutait. Russ Bollinger était certes malin et dangereux, mais il n'avait aucune idée de l'endroit où elle se trouvait.

— Tout ira bien, affirma-t-elle avec assurance.

— Je vous conseille de rester à notre disposition, mademoiselle Hart.

La menace était claire. Jézabel ne pouvait se dérober, quelle que soit son envie d'échapper à cette nouvelle épreuve.

— Je ferai mon devoir, monsieur Lansing, dit-elle néanmoins.

— Très bien. Je vous rappellerai bientôt.

Jézabel reposa le récepteur sur son socle et se frotta la main sur son jean, comme dans un geste inconscient pour effacer le passé qui la poursuivait.

Gamble marqua une pause devant la porte arrière du cottage. Puis, au prix d'un violent effort sur lui-même, il se décida à franchir le seuil. Il traversa la cuisine et alla déposer le pack de sodas dans le réfrigérateur. Il regarda s'il était nécessaire de faire des glaçons, mais vit que les bacs étaient pleins. Il en vida deux dans l'évier, les remplit d'eau fraîche et les replaça dans le compartiment du congélateur.

Un jour, il avait promis à Charlotte de lui acheter un nouveau réfrigérateur avec un tiroir spécial pour la glace pilée. Mais il n'avait jamais eu l'argent nécessaire et la promesse n'avait pas été tenue.

Il repoussa ce souvenir et se concentra sur ce qu'il allait faire au cours des heures à venir. Il ignorait si tous les appareils étaient restés branchés depuis son départ, ou bien si quelqu'un les avait remis en route avant son arrivée. Mais il était content d'avoir le réfrigérateur. Le printemps était très chaud et sec, dans cette région du Texas, et il aurait certainement besoin d'une boisson fraîche au cours de l'après-midi.

Il se demanda si Jézabel préférait le Coca ou le Pepsi-Cola. Il avait acheté les deux et se sentait un peu idiot d'avoir eu ce genre d'attention.

Il s'empressa de sortir de la maison et se dirigea vers l'abri de jardin dans lequel devaient encore se trouver ses outils. Il passa devant le garage, jeta un coup d'œil à la porte et s'en écarta involontairement. Il n'était pas encore entré dans son ancien atelier. Il n'en avait pas la force.

Cependant, il se rappela l'impression qu'il avait éprouvée la veille en tenant le crayon dans sa main. Et il sut qu'il se mentait à lui-même. En fait, il était animé par le besoin de tenir un pinceau, de mélanger les pigments, de s'attaquer à un projet... Des yeux vert émeraude, des boucles noires retombant en cascade... La couleur du bronze se détachant contre le ton pâle et velouté de la peau...

Il approcha la main de la poignée de la porte, et eut un brusque mouvement de recul, comme sous l'effet d'une décharge électrique : il ne pouvait pas faire le portrait de Jézabel ici, dans ce lieu si intimement lié au souvenir de Charlotte.

Du moins, pas avant qu'il ait pu tenir la promesse faite des années auparavant à la femme qu'il avait aimée plus que sa vie.

Et il n'était pas près d'y parvenir,

Il gagna l'abri de jardin d'un pas lourd et ramassa autant d'outils qu'il pouvait en porter.

Puis il contourna la maison et décida de commencer à travailler du côté opposé à l'atelier.

Jézabel prit le chemin du cottage en essayant de refréner son enthousiasme. Ce n'était pas parce qu'il l'avait invitée qu'il était décidé à lui céder le cottage. Elle avait endossé une tenue de travail, car elle ne comptait pas se contenter de superviser. Avec un peu d'aide, il finirait le travail plus vite. Puisqu'il lui était si difficile de rester dans cette maison, elle ferait son possible pour qu'il la quitte au plus tôt. Elle était même allée plus loin, en préparant un repas. Une sorte de pique-nique, bien que le terme parût peu adapté aux circonstances.

La situation s'était un peu détendue hier soir, mais de toute évidence cet homme souffrait toujours.

« Etiez-vous consciente de posséder un tel trésor, Charlotte Smith ? » songea Jézabel. Elle soupira et posa le menton dans sa main. Depuis qu'elle avait perdu sa mère, personne n'avait éprouvé d'amour pour elle. Même pas le dixième de ce que Gamble éprouvait pour sa femme. Et il y avait peu de chances que cela lui arrive un jour.

Mais parfois, on avait besoin de faire une pause pour admirer quelque chose de beau. Une rose, ou bien un superbe coucher de soleil… ou encore un amour merveilleux. Quelque chose qu'on pouvait contempler sans nécessairement vouloir le posséder. Ni désirer plus que le plaisir simple que ce moment vous procurait. Savoir que de tels miracles existaient suffisait à apporter un peu de bonheur.

Cependant, les miracles avaient un prix. D'après toutes les histoires qu'avait entendues Jézabel, et aussi à en juger par ses réactions, Gamble Smith s'était totalement consacré à cet amour miraculeux. Si bien que, lorsqu'il avait perdu sa femme, il s'était aussi perdu lui-même.

Jézabel n'avait jamais connu une souffrance comparable. L'idée de créer un lien aussi fort avec un autre être lui paraissait à la fois magnifique et terrifiante.

L'embranchement vers le cottage apparut au détour de la route. Elle redressa les épaules et s'engagea sur le chemin, ignorant le courant de ses pensées qui l'entraînait dans une autre direction. Les dessins de Gamble. Et tout particulièrement l'un d'eux. Elle avait passé des heures, la nuit dernière, à les étudier, cherchant une signification à ces portraits, comme un chercheur de trésor passant le sable d'une plage au peigne fin.

« C'est ridicule. Gamble est un artiste. Il dessine parce que c'est son activité habituelle, voilà tout », se dit-elle alors.

Mais il avait tracé tant de portraits. Des portraits d'elle. Et puis il y avait cette invitation...

« Ne te fais pas d'illusions, Jézabel, poursuivit-elle en son for intérieur. Encore deux jours d'attente. Et si le test est positif, vos deux univers voleront en éclats. »

Ce serait la douche glacée. Le moyen idéal de se débarrasser de toutes ses illusions sur les portraits d'elle dessinés par Gamble, sur ce qui avait poussé son compagnon à la représenter vêtue de cette tunique transparente. Ou encore les raisons pour lesquelles il se murait dans un monde de chagrin et de silence.

Elle fut tout à coup sur le point de faire demi-tour avant qu'il n'ait pu voir sa camionnette approcher.

Trop tard. Gamble se tenait à moins de dix mètres d'elle, occupé à débroussailler une haie. Il était en nage, et si beau que n'importe quelle femme en aurait succombé.

A en juger par sa mine maussade, il n'était pas plus à l'aise qu'elle. C'était clair.

Elle prit une longue inspiration pour se donner du courage et descendit de la camionnette.

— Salut.

Il ne répondit pas et évita son regard.

Déconcertée, elle ne sut plus ce qu'elle devait dire, ce qu'elle devait faire. Rester ? Partir ?

Sa voix intérieure, chargée de toutes ses expériences passées, lui conseilla de fuir. « Oublie cet endroit, lui souffla-t-elle, oublie cet homme. »

Mais elle était une femme de parole. Elle lui avait offert son aide et, donc, elle l'aiderait.

— Je… je vais juste déposer cela sous le porche.

Elle fit un pas, puis deux… franchit l'étroit portail et passa devant lui, sa glacière à la main.

Jézabel n'avait jamais pu finir ses études, mais elle lisait énormément. Quelque part dans ses lectures, elle avait entendu parler des phéromones. De la façon dont deux personnes pouvaient être irrésistiblement attirées l'une vers l'autre, par l'effet d'une étrange chimie des corps et du cerveau. Mais ce qu'elle éprouvait dépassait la science. Et même le simple bon sens.

Gamble était si sexy, splendide. Et talentueux. Et fort.

Cependant solitaire, vulnérable, tendre, capable d'aimer au-delà de toute raison.

Gamble Smith était un homme extraordinaire, et unique...

Au moment où cette pensée lui traversait l'esprit, il croisa son regard. Ses prunelles étaient d'un bleu profond. Hélas, il se détourna rapidement. Non sans avoir provoqué chez elle un trouble délicieux.

— Tiens, tu es là ? constata-t-il platement.

— Tu m'as invitée, non ?

Elle se raidit et ajouta :

— Je suis venue pour te donner un coup de main. Mais si tu préfères que je reparte, je te laisserai simplement la glacière.

— Tu as préparé un repas pour moi ?

Elle se sentit encore plus idiote en voyant son air éberlué.

— Oui, pourquoi ? Tu ne manges pas ?

Il y eut un silence de plomb.

Puis Gamble se mit à rire. Un rire. Mais... oui, c'était bien un rire.

Il passa une main sur sa nuque, l'air plutôt peiné.

— Ecoute, je... je ne sais pas trop m'y prendre avec les femmes.

Il hocha la tête et précisa :

— Ni avec les gens, d'une façon générale.

— Ah, vraiment ? Je ne m'en serais jamais doutée.

Il leva la tête, cherchant une riposte.

207

Jézabel sourit et il eut à son tour un petit sourire triste.

— Ce sont mes frères qui ont pris tout le charme, dans la famille, avoua-t-il piteusement. Lily s'emporte pour un oui ou pour un non, et moi je... J'ai toujours eu... Enfin, n'en parlons plus.

Jézabel n'eut aucun mal à deviner ce qu'il ne pouvait exprimer.

— Charlotte devait être une femme merveilleuse.

Les magnifiques yeux bleus se fixèrent sur elle.

— Oui, elle était merveilleuse. Je suis censé me débarrasser de cette obsession.

— Le temps t'aidera.

— Je ne l'oublierai jamais, répliqua-t-il d'un ton sec.

— Je n'ai pas dit qu'il fallait l'oublier. Si quelqu'un m'avait aimée comme tu l'aimes, j'aurais voulu qu'il garde toujours mon souvenir au fond de lui.

Elle crut l'entendre murmurer :

— Je ne me sens pas le droit...

Mais son regard se perdit au loin et il n'acheva pas.

— Pourquoi ? demanda-t-elle.

Il ne répondit pas, visiblement absorbé dans ses pensées.

Jézabel attendit. La matinée avançait et la chaleur devenait écrasante. Sa chemise était trempée de sueur. Dans l'air immobile, on percevait le bourdonnement des insectes. Un oiseau chanta au loin. Elle ferma les yeux. Et pour une fois, elle se retrouva dans une bulle où elle pouvait tout simplement... respirer.

Malgré la présence de cet homme follement séduisant, elle était hors de portée, à l'abri de tout souci. Elle éprouva un immense sentiment de paix.

— Elle disait que si le paradis existait, il devait ressembler à ça.

Jézabel ouvrit les yeux, rencontra le regard bleu et limpide de Gamble.

— C'est d'une beauté incroyable. Comment avez-vous découvert cet endroit ?

— Mes parents espéraient y construire une maison un jour, mais papa est mort avant qu'ils aient pu le faire. Ma mère ne pouvait pas continuer de rembourser les emprunts avec ses quatre enfants à élever. Elle était obligée de vendre. Le terrain se retrouva à la vente alors que je venais d'entrer à l'université. J'attendais que Charlotte finisse ses études secondaires. Je savais que je ne passerais jamais mon diplôme. Je m'étais inscrit en première année uniquement pour faire plaisir à ma mère. Elle disait que si c'était vraiment sérieux entre Charlotte et moi, la séparation ne changerait rien.

— Manifestement, elle avait raison.

Gamble sourit tristement.

— Ce n'était pas une vraie séparation, avoua-t-il. Je rentrais à la maison chaque week-end et pendant la semaine je lui téléphonais tous les soirs.

Jézabel se mit à rire.

— Bref, quand ce terrain fut à vendre, j'ai décidé

d'utiliser l'argent que j'avais économisé pour mes études et de l'acheter. Je proposai d'abord à maman de le racheter pour elle, puisque c'était son rêve et celui de papa. Mais elle a refusé en disant qu'elle ne pourrait pas supporter de quitter la dernière maison dans laquelle ils avaient vécu ensemble.

— Ta famille est incroyable, dit Jézabel, incapable de réprimer une note d'envie dans sa voix. J'aurais donné n'importe quoi pour connaître ce genre de liens.

— Et ta famille, où est-elle ?

— Je n'en ai pas.

Elle prononça ces mots en levant crânement le menton, comme pour le dissuader de la questionner davantage.

Il haussa les sourcils et répondit :

— Je suis désolé de l'apprendre. Mais je crois que tu te trompes.

— Que veux-tu dire ?

— Tu es aussi attachée à Skeeter que si tu étais sa propre fille. Et Darrell a décidé de jouer le rôle de grand frère pour toi.

Il sourit doucement et ajouta, l'air un peu amusé :

— Je ne parviens pas à décider si Louis et Chappy sont les deux oncles un peu toqués que chacun de nous cache au fond d'un placard, ou bien deux frères aînés qui passent leur temps à se chamailler.

Jézabel rit de bon cœur. Gamble avait vu juste. Elle se détendit et s'autorisa à se livrer un peu.

— J'ai grandi dans des familles d'accueil. Et toute ma vie j'ai rêvé d'avoir une vraie maison, avec une clôture blanche, des bébés, et des tas de chiots et de chatons.

Gamble grimaça.

— Et je t'empêche de réaliser ton rêve.

— Oh, ça ne fait rien, Gamble...

Elle lui prit le bras, éprouva aussitôt une sensation de désir et s'écarta rapidement.

— J'ignore comment je réagirais si j'étais à ta place.

Il l'observa pendant un moment et elle eut l'impression qu'il avait éprouvé le même choc qu'elle. Une fugace lueur de désir passa dans ses prunelles bleues. Il leva une main, comme pour la toucher. Et elle eut envie qu'il aille au bout de son geste.

« Touche-moi, Gamble, supplia-t-elle en son for intérieur. Et laisse-moi te toucher aussi. »

Elle ferma les yeux pour repousser la tentation. Elle sentit les mains viriles de son compagnon lui effleurer les cheveux, aussi légères que la caresse de la brise par un matin d'été. Elles glissèrent le long de ses mèches, passèrent doucement sur la rondeur de ses seins, faisant surgir une onde brûlante et un soupir.

Puis, le contact cessa. Jézabel entrouvrit les yeux, incertaine, redoutant ce qu'elle allait voir.

Et elle vit. Le désir. La confusion. Un tumulte d'émotions.

Gamble fit un pas en arrière.

211

— J'ai du travail, marmonna-t-il.

« Tu as le droit de vivre ! » aurait-elle aimé crier. Mais elle se tut. Il était comme un animal maltraité, trop effrayé pour accorder sa confiance.

Elle déposa la glacière sur le sol.

— J'ai des gants dans la voiture, dit-elle d'un ton neutre. Je vais commencer par les rosiers. J'ai lu un article sur la façon de les tailler, hier soir. Il est déjà un peu tard, mais on peut encore le faire.

— Et pourquoi ferais-tu…

Il s'interrompit.

— Plus vite ce sera fini, plus vite tu pourras quitter Three Pines, lui rappela-t-elle. Mais je ne veux pas penser à ce qui se passera ensuite.

— Je ne te comprends pas, déclara-t-il.

Toutefois, il redescendit les marches du perron sans attendre d'explication.

« Je ne me comprends pas très bien non plus », songea-t-elle alors en le regardant regagner le jardin.

Ses cheveux étaient lourds et soyeux, ondoyants comme des herbes mûres et échappant aux liens qui les retenaient. Ils semblaient murmurer : Caresse-moi…

Il ignora la supplique. Il ne devait pas prêter attention à Jézabel Hart et aux appas qui l'ensorcelaient.

S'il l'avait connue à New York, elle aurait pu faire

partie d'une longue série de rencontres éphémères. Une simple satisfaction du corps, une vaine tentative pour calmer la souffrance d'un cœur las de lutter contre la peine.

Mais ils n'étaient pas à New York. Dans cette ville minuscule, leurs chemins ne cesseraient de se croiser.

Le souvenir de la nuit qu'ils avaient passée ensemble lui revint en tête, avec une telle puissance qu'il trébucha en regagnant la rangée de plantes grimpantes qu'il était en train de tailler à son arrivée. Les barrières qu'il avait tenté d'ériger autour de lui s'écroulèrent tout à coup et il se revit avec elle.

Il revit son corps aux courbes généreuses, son regard doux. Il avait cherché entre ses bras une échappatoire à son chagrin. Il avait découvert bien mieux : une oasis de bien-être, de passion et même… de joie. Il avait oublié ce qu'était la joie de vivre. Il ne se rappelait même pas quand il avait ri pour la dernière fois… avant que cette magicienne ne fasse irruption dans son monde de misère et de souffrance.

Les quelques moments qu'ils avaient vécus ensemble étaient gravés dans sa mémoire. Et chaque fois qu'il l'avait revue, elle n'avait pu lui apparaître comme quelqu'un d'ordinaire.

Elle l'avait serré contre sa poitrine, il avait niché sa tête entre ses seins et avait éprouvé alors une douceur incomparable. Son éternelle solitude s'était éloignée, il s'était senti bien.

Alors, bien sûr, il avait très envie de s'allonger contre elle, pour voir s'il avait imaginé un tel plaisir ou s'il avait été bien réel. Mais surtout, il rêvait d'éprouver de nouveau ce merveilleux sentiment de sérénité, de bien-être. L'impression très vague et très douce qu'un jour, le chagrin l'abandonnerait — et qu'il revivrait.

C'était cela, le péché impardonnable commis par Jézabel. La raison pour laquelle il devait partir aussi vite que possible. Avant de céder encore une fois à la tentation.

Il tailla à grands gestes brusques dans les branches qu'il écartait de la clôture et s'aperçut qu'elles avaient attaqué la peinture blanche des piquets.

J'ai toujours rêvé d'avoir une maison avec une clôture blanche, des bébés, des tas de chiots et de chatons. Si des mots avaient le pouvoir de le faire fuir, c'étaient bien ceux-ci. Quelle ironie ! Cette femme avait le corps pulpeux d'une courtisane, et pourtant son rêve était de devenir maman dans la petite maison dans la prairie.

Seulement, c'était une vie à laquelle il avait lui-même renoncé. Ce genre de rêves lui était interdit, désormais.

Tout en se faisant cette réflexion, il se rendit compte que tout ce qui lui restait à faire, c'était de vendre le cottage à Jézabel. Elle se chargerait de le remettre en état. Il n'aurait plus jamais besoin de revenir. Son cœur ne serait plus martyrisé par le souvenir de ses chagrins et de ses échecs.

Il se figea tout à coup et observa le jardin qui l'entourait. Froidement. Sans songer à ce que cette propriété représentait pour lui, à tout ce qu'il avait investi dans chaque pouce de terrain, dans chaque piquet, dans chaque planche.

Cependant, les racines d'un amour perdu le rete-naient encore ici. Il serait obligé de les sectionner, de la même façon qu'il avait taillé ces branches.

A cette pensée, il fut sur le point de tomber à genoux. Son regard se posa alors sur Jézabel. Une branche de rosier dans la main, elle pencha la tête de côté. Il aurait juré que ses lèvres bougeaient, comme si elle parlait au rosier. Tout en se mordillant les lèvres, elle donna un coup de sécateur, puis déposa doucement la branche sur le sol au lieu de la laisser tomber.

La scène se répéta. Elle semblait hésiter avant chaque coupure et murmurait une sorte de remerciement quand elle avait fini.

Loin de paraître ridicule, son attitude avait quelque chose d'étrangement touchant. S'il avait eu besoin de preuves qu'elle était digne de posséder cette maison, dans laquelle il avait abandonné des lambeaux de son âme, il les tenait.

Sans doute ne pouvait-il encore se détacher tout à fait du cottage. Mais il pouvait néanmoins amorcer le processus. Il franchit la moitié de la distance qui le séparait de Jézabel et s'arrêta, incapable d'aller jusqu'à elle.

Puis il déclara d'un seul trait, avant de changer d'avis :

— J'accepte de te laisser habiter ici.

Elle se figea. Puis, très lentement, elle se tourna vers lui, incrédule, les yeux écarquillés.

— Tu veux me le vendre ?

— Te le louer. C'est tout ce que je peux te promettre pour l'instant.

Elle eut un sourire radieux, aussi éblouissant qu'un soleil d'été.

— Gamble, je te promets que je serai la gardienne idéale pour ta maison. Tu ne le regretteras pas.

Elle esquissa un petit pas de danse, puis s'arrêta, hésitante.

— Tu es sûr que ça ira ? Je ne pourrais pas supporter de savoir que mon bonheur te cause du chagrin ou de l'inquiétude.

Il n'était sûr de rien, mais il avait envie de la voir sourire encore. Aussi affirma-t-il d'un ton ferme :

— J'en suis certain.

Rayonnante, elle lui sauta au cou et l'embrassa sur la joue.

Mais ses lèvres effleurèrent le coin de sa bouche.

Ils tressaillirent tous les deux.

Gamble s'immobilisa. Leurs lèvres se touchaient presque et elle le contemplait d'un air incertain.

Il se sentit oppressé. Le temps lui parut s'arrêter.

Il n'était conscient que de sa présence. De la légèreté qu'elle lui communiquait. De sa douceur, de sa
générosité.

Proche... elle était si proche. Avec cette sensation
d'espoir, d'ensoleillement, de rire. De force. Alors qu'il
ne tenait, lui, que par le plus grand des miracles.

Il y avait trop de choses en elle qui l'attiraient. Il
s'approcha et effleura ses lèvres, cherchant à s'im-
prégner de sa vitalité, de la chaleur dont il avait si
désespérément besoin.

Leurs bouches se joignirent en un baiser chaste.
Puis il prit conscience de son corps sensuel se pressant
contre le sien. Il l'enlaça, noua les bras dans son dos,
cherchant à s'unir plus étroitement à elle. Il la plaqua
contre lui.

Poussa un gémissement de plaisir.

Elle s'abandonna contre son torse, fit entendre un
très léger soupir...

Alors, il prit sa bouche comme il avait eu envie de
le faire des centaines de fois depuis qu'ils avaient fait
l'amour. Il prit ses lèvres pulpeuses, délicieuses, qui
avaient le pouvoir incroyable de lui faire perdre la tête.
L'espace d'une minute, il décida de ne pas résister, de
ne pas essayer de la repousser.

Juste une minute, puis...

Mais la minute se prolongea. Il enfouit les doigts
dans son abondante chevelure noire. Pressa contre lui
ses seins ronds et doux. D'un bras il lui encercla la

taille, tandis que sa main s'aventurait sur ses hanches, sur ses fesses, la pressant intimement contre lui.

Il gémit encore en plongeant plus profondément dans la chaleur soyeuse de sa bouche. Ses doigts agrippèrent sa longue tresse, l'enroulèrent autour de son poignet pour l'empêcher de bouger, de lui échapper.

A l'intérieur de lui-même, il entendait les rugissements furieux d'un océan, des vagues s'écrasant contre les rochers qui entouraient son cœur, et dont le bruit étouffait toutes les voix du passé. Seul subsistait le désir insensé qu'il éprouvait pour cette femme.

Il resserra son étreinte et elle lui répondit avec une passion qui faillit l'aveugler tout à fait.

Mais il y eut une pause imperceptible entre les vagues. De nouveau, un murmure s'immisça, presque inaudible, mais qu'il finit par entendre.

Alors, il s'écarta brusquement. Bon sang, qu'était-il en train de faire ? Quelle folie le poussait ? Il dévorait Jézabel de baisers, ici, dans la maison de Charlotte !

— Non, dit-il. Je ne peux pas.

Elle le regarda de ses yeux immenses, assombris par la passion. Puis elle cligna les paupières, comme si elle sortait tout à coup d'une transe.

Gamble regarda autour de lui, désignant la maison, le jardin.

— Pas ici.

Il se tourna, cherchant à échapper à l'emprise de la jeune femme, et aux conséquences de son écart.

Mais elle lui saisit la main. Il voulut se dégager et elle serra plus fort, l'obligeant à la regarder.

— C'est bon, Gamble. Je comprends. Calme-toi…

— Laisse-moi ! protesta-t-il, oubliant un instant qu'il avait plus de force qu'elle et qu'il pouvait se dégager lui-même.

— Viens, dit-elle d'une voix douce, en l'entraînant avec fermeté à l'ombre d'un grand chêne.

Elle continua de parler d'une voix apaisante, mais il régnait dans sa tête un tel tumulte qu'il ne comprenait pas ce qu'elle lui disait.

— Tout va bien, Gamble…

— Tu ne comprends pas ! s'exclama-t-il avec une sorte de sauvagerie qu'il ne parvenait pas à maîtriser. Je veux que tu t'en ailles !

— Je vais partir, mais pas tout de suite. Assieds-toi avec moi une seconde.

Elle le tira par la main, visiblement persuadée qu'il ne pouvait pas refuser ce qu'elle demandait.

Gamble rassembla enfin ses esprits et retira brutalement sa main.

— Non. Va-t'en, bon sang !

— Gamble…

Cette voix avait le pouvoir de faire cesser le tapage dans un bar. Elle n'était pas forte, mais calme et insistante. Elle réclamait son attention.

— Je ne veux pas te laisser avec l'impression que tu as fait quelque chose de mal, disait-elle.

Il la contempla.

— Tu n'as pas la moindre idée de ce que je pense.

Mais elle continua tranquillement, comme si elle ne l'avait pas entendu :

— Nous sommes attirés l'un vers l'autre. C'est une attirance troublante mais pas criminelle.

Elle s'assit dans l'herbe et leva les yeux vers lui.

— Ce n'est pas grave, Gamble. Tu continues de manger normalement, n'est-ce pas ?

— Quoi ?

— Tu manges. Tu bois. Tu prends même une bière de temps à autre. Tu marches au soleil. Tu parles aux gens que tu connais. Charlotte ne peut plus rien faire de tout cela. Mais ce n'est pas pour autant que tu cesses de le faire, toi.

Il se sentit aveuglé par un accès de fureur.

— Je t'interdis de prononcer son nom.

Les joues de Jézabel s'enflammèrent, mais elle se leva et continua sur le même ton :

— Je sais que je ne suis pas elle et que je ne suis pas une sainte. Tu peux me le rappeler quand tu veux, au cas où par hasard je l'oublierais.

Il décela une nuance d'amertume dans sa voix. C'était la première fois. Il ne l'avait encore jamais entendue parler ainsi.

Les mains sur les hanches, elle l'observa.

— Tu es un homme en pleine possession de ses moyens. Ton corps n'a pas seulement besoin d'eau et de nourriture. Tu as été totalement vivant, autrefois.

Elle eut un geste de la main pour désigner le jardin et le cottage.

— Cette maison en est la preuve. Le crime, c'est d'arrêter de vivre, ajouta-t-elle d'une voix où perçait la colère. De priver les autres de l'homme qui a su créer tant de beauté, qui a pu vivre dans un univers aussi riche. Je n'ai pas besoin de connaître Charlotte pour deviner ce qu'elle te dirait si elle te voyait à présent. Elle serait la première à te pousser à sortir de sa tombe. Celle-ci n'est pas assez grande pour vous deux.

— Je t'interdis de…

Mais elle ne le laissa pas continuer.

— Je dirai ce que j'ai envie de dire. Tu me haïras pour cela, j'en suis sûre, mais de toute façon tu m'as déjà condamnée, alors pourquoi me retiendrais-je ? Pour toi je ne suis qu'une traînée, qui t'a détourné du culte que tu voues à une femme mille fois plus digne d'amour que moi.

Elle fit une courte pause, reprit son souffle et poursuivit :

— Je ne suis peut-être pas Charlotte Smith, mais je ne suis pas lâche. La vie peut être une terrible vacherie, parfois. Et tu as eu ta part de malheur. Mais tu n'es pas le seul à avoir souffert. Secoue-toi, maintenant.

Elle essuya rageusement les larmes qui perlaient à ses paupières. Elle tourna les talons et s'éloigna à grands pas, ramassant ses affaires au passage.

Il la regarda, stupéfait.

Arrivée près de sa camionnette, elle lança sans le regarder :

— Je voulais être ton amie. Mais de toute évidence, je suis la dernière personne que tu choisirais pour partager ton amitié. Je n'insisterai pas. Au revoir.

Et sur ces mots, elle partit, abandonnant Gamble à un silence assourdissant.

Chapitre 12

Skeeter comprit tout de suite que quelque chose n'allait pas. Aussi Jézabel décida-t-elle d'écourter sa visite pour ne pas prendre le risque de se mettre à pleurer. Elle ne verserait plus une larme pour Gamble Smith. Poussée à bout par son attitude blessante, elle avait riposté et elle en avait un peu honte. Mais elle n'avait rien dit qui ne soit pas juste.

A partir de maintenant, elle s'efforcerait d'être courtoise si leurs chemins se croisaient, mais elle ferait tout son possible pour l'éviter.

Et surtout pour l'oublier.

« Mon Dieu, faites que j'y arrive », supplia-t-elle en son for intérieur. Mais elle n'était pas sûre que ce vœu puisse être exaucé. Quand il la touchait, son corps s'enflammait comme une torche. Elle n'avait encore jamais rien éprouvé de tel.

Et c'était la même chose pour lui, bon sang ! Même s'il le niait.

Il fallait espérer que ce préservatif déchiré n'aurait aucune conséquence. Qu'avec un peu de chance, cela resterait un simple accident de parcours… et non le signe avant-coureur de toute une série de problèmes.

Et tant pis pour elle si elle s'était imaginée en train de tricoter des brassières et s'était mise à soupirer d'envie en contemplant des photos de bébés dans les magazines.

— Ce n'est ni le moment ni l'homme qu'il te faut, Jézabel, tu le sais bien…

Puis elle pensa au cottage et à la vision fugitive qu'elle avait eue d'elle, assise dans l'herbe, jouant avec un petit enfant aux joues rondes. Il ne lui louerait plus jamais la maison, à présent. La question était réglée.

Elle prit les sacs d'épicerie dans la voiture et entra chez elle. Elle caressa la tête du chien et du chat qui, contrairement à Gamble Smith, la considéraient avec un air d'adoration.

— Prends l'après-midi et va te promener, Gamble. Tu vas éloigner les clients si tu continues de faire cette tête, dit Lily.

Penché sur un massif, Gamble était en train de couper les fleurs fanées.

— J'ai déjà été absent toute la matinée, répondit-il en levant la tête.

Lily vint s'accroupir à côté de lui.

— Tu es allé au cottage ?

Il secoua la tête avec impatience.

— Qu'est-ce que ça peut faire ?

— Tu devrais peut-être laisser cette garce l'acheter, dit-elle en lui posant la main sur l'épaule.

— Ce n'est pas une garce, répliqua-t-il d'un ton vif.

Lily écarquilla les yeux.

— Elle t'a dit quelque chose ? Je devrais aller la voir et lui dire…

— C'est bon, ne t'emballe pas.

L'attitude protectrice de sa jeune sœur le fit sourire. C'était plutôt Jézabel qu'il aurait fallu protéger contre lui !

Elle s'était sentie blessée, rabaissée.

Il ricana. Puis se remémora les paroles de la jeune femme : *Tu n'es pas le seul à avoir souffert.*

— Lil ?

— Oui ?

— Est-ce que je…

Il ne termina pas sa phrase. La réponse était trop évidente. Il soupira et dit d'un ton résigné :

— J'ai été insupportable, n'est-ce pas ?

— Tu as subi une perte terrible et tu as beaucoup souffert.

« Secoue-toi, maintenant », avait dit Jézabel… C'est bien ce qu'il avait essayé de faire, à New York. Et il y était presque arrivé. Mais en revenant ici…

Assez.

— J'ai une meilleure idée, Lily. C'est toi qui vas prendre l'après-midi.

— Moi ? s'exclama Lily en battant des paupières.

Il tira sur une de ses boucles.

— Depuis quand tu n'as pas fait l'école buisson-nière ?

Une lueur malicieuse passa dans les yeux de sa sœur.

— Depuis… euh… la veille de mon dernier examen.

— Ça ne m'étonne pas ! dit-il en riant. Il fallait que tu commettes une dernière incartade, c'est cela ?

Lily haussa les épaules.

— Je m'ennuyais tellement, quand vous avez tous quitté la maison. Je voulais juste maintenir la répu-tation de la famille, tu sais.

— Maman s'en est aperçue ?

— Non, avoua-t-elle avec un large sourire.

— C'est bien.

Il lui passa un bras sur l'épaule et la ramena jusqu'à la porte de la cuisine.

— Va faire un truc de fille. Une manucure, le coiffeur…

Lily leva les yeux au ciel et lui mit les mains sous le nez.

— Gamble ! Sois réaliste ! Quand on travaille dans une pépinière, on ne se fait pas de manucure.

Ses ongles étaient coupés très court et incrustés de terre.

— Et pourquoi pas les pieds, *chérie* ? Tu pourrais te faire vernir les ongles en rouge, tu vois, suggéra

Cal en sortant d'une des serres. Ensuite, je viendrai te chercher pour aller dîner dehors et tu mettras des sandales à talons aiguilles. Le genre qui font tourner la tête aux hommes. Avec une jupe très courte, c'est encore mieux. Après, nous irons danser.

Lily eut un petit soupir dédaigneux.

— Quand on est patron, il vaut mieux éviter de sortir avec le personnel. Ce n'est pas correct.

— C'est bon, mon cœur. Ce n'est pas ta mère que j'ai invitée, mais toi.

Lily plissa les yeux, furieuse. Gamble était partagé entre l'amusement et l'inquiétude. Il aurait peut-être dû flanquer une correction à ce type qui avait le toupet d'inviter sa sœur. Mais visiblement, celle-ci était ravie de la proposition et particulièrement nerveuse.

— Je passerai la soirée avec maman, dit-il pour la rassurer. Tu peux sortir. Et toi…, ajouta-t-il en se tournant vers Cal. Fais attention à toi.

Cal acquiesça d'un signe de tête. Puis, soudain, il perdit de nouveau son sérieux et déclara, avec un sourire démoniaque :

— Je préfère faire attention à Mlle Lily. Le problème, c'est qu'elle ne me quitte jamais des yeux. C'est un peu embarrassant, d'être considéré avec autant d'adoration.

Gamble crut que sa sœur allait exploser de colère.

— Je m'en vais ! lança-t-elle en dardant sur Cal un regard noir. Mais je vais faire quelque chose de beaucoup plus intéressant qu'une pédicure.

Cal se tapota la poitrine, l'air ironique.

— Bats un peu moins fort, mon cœur. Je suis impatient de voir le résultat.

— Tu attendras longtemps… *Cal-vin.*

Elle s'attarda sur ces deux dernières syllabes, puis pivota sur ses talons et s'éloigna avec dignité.

Le rire de Cal la suivit.

— Je serai là à 7 heures, *chérie.* Quelle femme ! ajouta-t-il en s'adressant à Gamble. Le Bon Dieu a eu une rudement bonne idée le jour où Il a créé le beau sexe. Il n'y a rien de tel qu'une femme en colère pour doper la libido d'un homme.

Il s'éloigna d'un pas tranquille, en riant doucement.

Le regard de Gamble se perdit dans le vague. Il songea à une autre femme qu'il avait vue partir en colère. Une colère qu'il avait provoquée par ses paroles trop dures.

Doper la libido d'un homme… Elle faisait cela très bien, avec trop de facilité. Sa propre réaction le troublait et le mettait mal à l'aise.

Mais elle se trompait sur un point. Et il se demandait comment il allait pouvoir lui expliquer que ce n'était pas elle qu'il avait jugée et condamnée, comme elle le croyait.

C'était lui.

— Pardon, monsieur, pouvez-vous m'aider ?

La voix d'une cliente le tira de ses réflexions.

Avec un certain soulagement, il abandonna ses sombres pensées et alla parler de géraniums.

Toutefois, même lorsqu'il eut fermé la pépinière, se fut douché et eut rendu visite à sa mère, ses préoccupations ne le quittèrent pas. Il ne pouvait faire sortir Jézabel de sa tête. Il arpentait les pièces de la maison comme un lion en cage. Cette femme le mettait hors de lui, et cela ne lui plaisait pas du tout.

Car il l'appréciait trop. Etant donné son comportement avec elle, elle serait probablement très étonnée de l'apprendre.

La nouvelle que sa mère pourrait rentrer à la maison d'ici à une semaine ou deux ne le réconfortait qu'à moitié. Il envisageait déjà de quitter Three Pines, mais sa conversation avec l'infirmière l'en avait dissuadé. Marian aurait encore besoin d'aide pendant quelques semaines, et il faudrait que quelqu'un la conduise chaque jour à Tyler pour sa rééducation.

Il laissa donc un message à Kat pour lui faire savoir qu'il ne lui enverrait pas de nouveaux tableaux dans les semaines à venir. Pourtant, alors même qu'il prononçait les mots, il sentait ses doigts le démanger. Il brûlait d'envie de reprendre les pinceaux. Il avait tout le matériel nécessaire dans son atelier…

Son seul vrai frein, au fond, c'est qu'il n'avait pas réellement envie de retourner peindre au cottage. Parce que, de fait, il ne connaîtrait pas de repos tant qu'il n'aurait pas mis les choses au point avec Jézabel.

Presque malgré lui, il se retrouva donc sur le parking

du bar. Garé sous les longues branches d'un vieux chêne, il attendit que les derniers clients soient partis, pour parler en tête à tête avec la jeune femme.

Mais il avait une longue journée derrière lui, et il manqua s'endormir dans son siège avant qu'elle n'apparaisse enfin.

Lorsqu'elle parut, il comprit tout de suite qu'elle n'avait pas deviné sa présence. Elle se croyait seule, et ne fit donc aucun effort pour maquiller sa lassitude. Gamble l'avait toujours vue pleine d'entrain et d'enthousiasme. Tandis que là… Cette femme à l'allure fatiguée, presque abattue, le déstabilisa. Certes, elle travaillait dur et cela expliquait sans doute son état et son expression, mais la dureté dont il faisait preuve avec elle y était peut-être aussi pour quelque chose.

Il descendit du pick-up et elle se retourna vivement, l'air alarmé, en entendant ses pas sur le gravier.

— Ce n'est que moi, Jéz.

La silhouette virile se détacha dans un rayon de lune. Jézabel se redressa et l'examina avec méfiance.

— Que viens-tu faire ici ?

Gamble soupira.

— Bonne question.

Il fit un pas de plus dans sa direction et ajouta :

— Je te dois des excuses. Mais tu as l'air fatiguée, ça attendra.

— Des excuses ? répéta-t-elle en fronçant les sour-cils. Et que me vaut cet honneur de ta part ?

— Eh bien pour commencer, je me suis comporté comme un mufle. Parce que je t'ai fait pleurer…

Elle haussa les épaules d'un air détaché.

— Ça glisse.

Il s'approcha un peu plus et fut contrarié de la voir prendre ses distances, faire mine de monter dans son véhicule.

— Je suppose que tu as dit tout haut ce que la plupart des gens pensent de moi.

Il détourna les yeux et secoua la tête, avec une impression de soudaine lassitude, lui aussi.

— Il y a des choses que je n'ai jamais dites à personne, au sujet de Charlotte. Le jour où…

Sa gorge se noua et il ne put aller plus loin. Jézabel lui prit le bras.

— Tu ne me dois rien, Gamble. Je n'aurais pas dû te dire ma façon de penser de manière aussi brutale. Ni me croire autorisée à te souffler ta conduite.

Et voilà. Encore ce cœur généreux qui s'exprimait, dans ce corps de sirène. Il était déjà difficile de résister aux charmes de Jézabel. Mais cette femme, à la fois douce, sensuelle et débordante de générosité, était mortellement dangereuse.

Et il était diablement seul.

— Tu ne sais pas tout, Jéz. En fait, je lui en voulais terriblement. Elle savait que c'était très risqué pour elle de tomber enceinte et malgré ça elle a tout fait pour.

La colère resurgit, malgré lui, à ce souvenir.

— Je n'aurais jamais dû lui laisser la responsabilité de la contraception. Mais quand j'avais suggéré une vasectomie, elle s'y était catégoriquement opposée. Elle voulait que je puisse avoir des enfants, si un jour…

Il fut obligé de s'interrompre, la gorge nouée.

— Sa santé était trop fragile, reprit-il d'une voix à peine audible. Elle m'avait promis…

Il eut une grimace amère.

— Elle m'a trahi et je n'y ai vu que du feu. Ensuite, il était trop tard. Elle était folle de bonheur. Elle croyait que nous serions encore plus heureux avec un enfant, une vraie famille. Je lui avais pourtant répété des milliers de fois qu'elle représentait tout ce que je désirais.

Jézabel l'écoutait avec un air de compassion et de tristesse.

— Il ne faut pas me plaindre, dit-il d'un ton rageur. Je n'arrivais pas à lui pardonner ce qu'elle avait fait. Je n'étais pas heureux. Je faisais un effort pour ne rien laisser paraître, mais j'étais mort de peur à l'idée que je risquais de la perdre. Le dernier jour, je suis allé chercher le berceau que j'avais fabriqué en cachette. Je voulais lui faire une surprise, et…

Il se rendit compte que ses poings étaient crispés.

— Elle est morte en croyant que j'étais en colère

contre elle. Et bon sang, je le suis, je le suis toujours. Elle n'avait pas le droit de…

Mais alors même qu'il prononçait les mots qu'il se répétait sans fin depuis des mois et des mois, il s'aperçut qu'ils ne contenaient plus la même rage qu'autrefois. Gamble se sentait seulement… vide. Perdu.

La colère et le chagrin avaient été ses seuls compagnons pendant si longtemps… Et maintenant, il se sentait juste… fatigué.

— Entre, Gamble, dit Jézabel en lui prenant la main. Je vais te faire une tasse de thé.

Il eut un rire sans joie.

— Tu as vraiment une passion pour les causes perdues, n'est-ce pas ?

De fait, il se moquait complètement d'être pour elle un chien perdu de plus. Elle était la lumière dans un monde d'obscurité et il ne voulait plus rester seul avec ses tristes pensées.

Tout à coup, il se rappela les papiers qu'il avait glissés dans sa poche.

— Tiens.

— Qu'est-ce que c'est ?

— Un contrat de location.

— Gamble… je ne crois pas que ce soit une bonne idée.

— Pourquoi ? Tu as changé d'avis ? J'ai détruit ton rêve ?

— Non, c'est juste que…

Elle hésita, lui glissa un regard en coin.

— Je ne veux pas te causer d'inquiétude. Je trouverai autre chose.

Elle lui rendit les papiers et ajouta :

— Ma place n'est pas là-bas.

— Tu te trompes, répondit-il en lui prenant le menton. Autrefois, ce cottage était un petit coin de paradis. Il l'est toujours. Ce qui a changé, c'est moi. Tu me l'as fait comprendre quand tu as dit que cette maison avait besoin d'être habitée et d'être aimée. Je ne peux plus le faire, mais toi oui. Toi, avec ton grand cœur.

Il lui mit de force les documents dans les mains.

Elle posa sur lui un regard troublé.

— Qu'y a-t-il ? Tu ne le veux vraiment plus ?

— Ce n'est pas cela, fit-elle avec un hochement de tête.

— Dis-moi.

Elle lui tourna le dos et il vit ses épaules s'affaisser. Sur une soudaine impulsion, il alla vers elle et l'attira dans ses bras. Elle demeura rigide quelques secondes, puis céda et s'abandonna contre son torse.

— Que se passe-t-il, Jézabel ?

Elle ne répondit pas. Il lui fit lever le visage et vit deux grosses larmes rouler sur ses joues.

— Apparemment, je ne peux pas m'empêcher de te faire pleurer.

Touché par le chagrin de la jeune femme, il l'embrassa sur les paupières.

Ses lèvres glissèrent sur ses joues, puis sur ses lèvres.

Mais cette fois, au lieu de prendre possession de sa bouche, il se contenta de l'effleurer doucement. Elle laissa échapper un petit sanglot, qui se transforma en soupir. Réprimant le désir dévorant qui s'empara de lui, il continua ses caresses apaisantes.

— Tu veux entrer ? demanda-t-elle dans un souffle. Je te promets de te laisser repartir sans rien te demander, après.

Elle était faite pour qu'on s'attache à elle, pour qu'on s'engage. Ce n'était pas juste de la prendre au mot maintenant, de profiter de son désir…

Oui, mais il avait trop besoin d'elle. De son corps, bien sûr, mais surtout… de sa douceur.

Il se promit de lui donner tout le plaisir qu'il pouvait, même s'il était conscient de ne pas mériter une femme comme elle.

Il la souleva dans ses bras.

Jézabel soupira encore une fois.

— J'ai toujours rêvé qu'un homme me soulève comme ça,

— Ça tombe bien…

Il la fit taire d'un baiser, franchit la porte et la referma d'un coup de pied… avant de trébucher contre le chien qui les accueillit en sautant de joie.

— Désolée. Rufus a besoin de sortir.

Elle se remit sur ses pieds, le visage empourpré.

— O.K., je vais l'emmener faire un tour. Il ne se sauvera pas ?

— Non, mais tu n'es pas obligé de faire cela.

Il lui posa une main sur la joue et lui vola un baiser.

— Nous pouvons y aller ensemble.

Elle le prit au mot.

— Excellente méthode pour séduire un homme, déclara-t-elle en regardant Rufus renifler le pied d'un arbre. Lui briser le dos, puis la jambe, et enfin lui faire sortir le chien.

Gamble eut une moue amusée.

— Je dois admettre que c'est très original. Aucune des femmes que j'ai connues à Manhattan n'y aurait pensé.

Il se pencha vers elle et chuchota :

— Etant donné que j'ai perdu l'usage de mon dos et de mes jambes, il faudra peut-être que tu prennes toutes les initiatives, tout à l'heure.

— Ne me fais pas rougir.

Gamble éclata de rire.

— Tu es une mystificatrice.

— Quoi ?

— Tu as un corps de séductrice, mais au fond tu es une vraie jeune fille victorienne. Comment diable parviens-tu à tenir un bar ?

Elle haussa les épaules et se détourna, comme si elle était sur le point de s'enfuir.

— J'ai fait pire que ça. Eh bien, je crois qu'il est temps de se quitter, à présent. Rufus, viens ici !

— Attends ! protesta Gamble en la retenant par le bras. Que t'arrive-t-il ?

— Rien. Rentre chez toi.

— Pas avant que tu te sois expliquée.

— Mais ça n'a rien à voir avec toi…

Elle finit par le regarder en face.

— Je ne suis pas une jeune fille innocente, Gamble, même pas dans tes rêves. J'ai été strip-teaseuse. Vois-tu, il m'est arrivé d'être presque dans la misère. Je n'avais qu'un moyen de m'en sortir, c'était de me servir de mon corps. Alors, je l'ai fait.

Elle le toisa, attendant sa réaction, son mépris. Mais il continua d'écouter en silence, l'air grave.

— J'ai perdu ma mère à cinq ans. A treize ans, je me suis retrouvée à la rue. Je n'ai pas pu finir mes études secondaires. Je suis à des années-lumière de Charlotte.

Il lui tenait toujours le bras et elle se dégagea brusquement.

— Maintenant, c'est moi qui veux que tu t'en ailles. S'il te plaît, ajouta-t-elle d'un ton tendre.

— Non.

— Tu penses que le fait que je me sois servie de mon corps te donne le droit d'insister ? Eh bien, tu te trompes. Je me suis battue pour sortir du ruisseau, et je n'y retournerai pas. Je ne laisserai jamais plus un homme me toucher. Sauf si j'en ai envie.

Elle était furieuse, vulnérable — et magnifique.

— Ai-je au moins le droit d'exprimer mon admiration ?

Elle l'observa avec méfiance, les yeux plissés.

— Pour quoi faire ? Les hommes m'ont toujours reluquée. Je sais bien assez que j'ai une silhouette appétissante.

— Je ne parle pas de ta silhouette. Même s'il est indéniable qu'elle ait de quoi faire rêver.

Il lui prit la main. Elle se débattit, mais il refusa de la relâcher.

Sans la quitter des yeux, il porta ses doigts à ses lèvres.

— Les épreuves auraient pu te durcir, pourtant ce n'est pas le cas. Tu as fait ce qu'il fallait pour survivre, mais cela a laissé ton cœur intact. Tu es toujours aussi généreuse. J'ai honte de moi, Jézabel. Je n'ai jamais manqué d'amour, alors que tu n'en as pas eu. Et pourtant, tu distribues ton affection comme si elle était inépuisable.

Il lui embrassa encore la paume de la main, puis la relâcha et fit un pas en arrière.

— Je vais te souhaiter une bonne nuit et te laisser, puisque tu le souhaites. Mais ne crois pas que ce soit de bon cœur. Ni ton passé ni ton présent, rien de ce que tu es ne m'éloignerait de toi.

Il se pencha et lui embrassa la joue.

— Fais de beaux rêves.

Puis il tourna les talons et s'éloigna, bien qu'il n'en eût aucune envie. Tout, au contraire, le poussait à rester.

★★

Jézabel demeura figée, l'esprit en proie à un tourbillon d'émotions. Cet homme était tourmenté et elle avait une vie assez compliquée comme ça.

Mais quelque chose, chez lui, lui plaisait. L'attirait.

Et la laissait perplexe.

Malgré ce qu'elle lui avait avoué de son passé, il disait qu'il l'admirait. Elle n'avait donné que quelques détails bien sûr, mais elle ne lui avait pas épargné le pire. Il savait qu'elle avait exposé son corps dans des bars sordides, que des hommes l'avaient touchée. Qu'elle n'avait pas d'éducation, que personne ne voulait d'elle…

Et malgré tout, il pensait que c'était lui qui n'était pas digne d'amour. Au point de partir, afin de ne pas la faire souffrir inutilement.

— Attends.

Il s'immobilisa, mais sans se retourner.

Jézabel se mordit les lèvres.

Et décida de faire le premier pas.

— Ne pars pas, Gamble.

Il regarda par-dessus son épaule.

— Je ne veux pas que tu éprouves de la pitié pour moi, Jézabel.

— Ce n'est pas le cas.

— Alors, pourquoi me rappelles-tu ?

— Je me sens peut-être seule, moi aussi.

Il se raidit.

— Je n'ai jamais dit que je me sentais seul.

— Ce n'était pas la peine de le dire.

Ils se dévisagèrent un instant en silence. Elle fronça les sourcils.

— Je ne comprends pas ce qui se passe entre nous.

Il eut un sourire triste.

— Il y a une chose au moins qui est très claire : notre attirance.

Elle ne broncha pas sous son regard. Il hocha la tête et ajouta doucement :

— Mais le sexe n'est pas tout. Tu n'es pas faite pour les aventures sans lendemain.

— Je t'ai dit que je ne te demandais rien.

— Ma chérie, tu n'es pas le genre de femme que l'on quitte après avoir couché avec elle.

— Donne-moi simplement de la tendresse, Gamble. Oublie les lendemains. Ne crois pas que j'attends que tu passes ta vie avec moi. Ce n'est pas ça du tout. Nous sommes adultes et nous savons tous les deux que tu repartiras. Tu as d'autres projets, plus grandioses.

Le silence s'installa et s'éternisa. L'atmosphère se chargea d'une tension toute particulière.

— Une nuit, reprit-elle. Nous ne sommes plus des étrangers à présent, mais des amis. Deux personnes qui n'ont pas d'avenir ensemble. Rien.

Il la contempla, hésitant. Déchiré.

— Nous pouvons juste repousser l'obscurité ensemble. Je ne te demanderai rien de plus, je te le promets.

Elle était lasse. Lasse d'être prudente, de devoir tout

prévoir, d'être forte, responsable. Même si elle était enceinte, elle n'exigerait rien.

Elle lui ouvrit les bras.

— Embrasse-moi, Gamble. Enflamme-toi dans mes bras. Perdons la tête, ce soir. Demain, nous serons raisonnables.

Elle sourit et continua :

— Viens, jouons tous les deux. Quand as-tu fait le fou pour la dernière fois ?

La tentation s'insinuait en lui, luisait dans ses yeux. Et Jézabel prit un peu d'assurance. Gamble s'était occupé de Charlotte, malade, alors qu'il était encore presque adolescent. Puis il avait subi une perte terriblement douloureuse. Et depuis, il portait le deuil de son amour. Après tout, cette nuit, elle pouvait lui donner du bonheur, du plaisir, et profiter elle aussi de ce cadeau du ciel. Pourquoi se seraient-ils privés ?

Elle était assez forte pour assumer seule les conséquences, n'est-ce pas ? Ce ne serait pas la première fois qu'elle prenait des risques avec son cœur, sa vie.

Des risques, oui. Car, à dire le vrai, elle éprouvait une tendresse infinie pour cet homme. Lorsqu'il repartirait, elle ne sortirait pas indemne de leur rencontre ni de leur séparation. Seulement, voilà, la vie était faite de ce mélange d'heures tantôt ensoleillées et tantôt sombres, de blessures et de bonheurs, et il n'y avait pas d'autre choix que d'en accepter le rythme...

Le tout, c'était de savoir tirer parti de chaque expérience.

Cependant, Gamble n'esquissait pas un geste. Elle sentit la tristesse grignoter son enthousiasme.

— Je ne t'intéresse plus ?...

L'humiliation lui serra la gorge.

— Aucun problème, dit-elle en laissant retomber les bras. Je... je vais rentrer. Sois prudent sur la route.

Elle regagna la porte.

Mais elle n'eut le temps de faire que deux pas. Il la saisit par le bras, la captura, la fit se tourner vers lui. Ses prunelles s'étaient assombries, son corps était vibrant.

— Je te désire.

Il se tut, puis reprit d'une voix sourde :

— Je ne suis pas sûr de pouvoir être tendre. Pas tout de suite. Tu me rends fou, Jézabel.

Elle ferma les yeux, tout à la fois soulagée et affolée. Puis elle les rouvrit et dit à son tour :

— Qui te dit que je serai douce ?

A ces mots, ils flambèrent tous les deux comme une torche. Soudain, Jéz se retrouva dans l'étreinte puissante des bras de Gamble. Il l'attrapa par les cheveux, à pleines mains. Ses lèvres dures et viriles lui dévorèrent le cou, les épaules, puis il lui caressa les seins. Eperdue, Jézabel passa une jambe autour des siennes et se pressa sensuellement contre lui.

Le contact le fit gémir. Comme il lui mordait l'épaule, elle étouffa un cri entre plaisir et douleur. Elle aurait voulu se fondre en lui, lui faire perdre totalement la tête et la perdre avec lui.

Elle n'eut pas à se donner cette peine. Il la saisit aux hanches, la souleva et l'assit sur le capot de la camionnette. Puis il la fit se coucher, alanguie, sans force.

Là, Gamble glissa la main sous son corsage, repoussa le tissu, dénudant ses seins. Du bout de la langue, il traça des cercles autour de son nombril. Elle s'arqua sous la caresse tandis que lui échappait un soupir de plaisir.

Cela fit rire Gamble, qui traça un sillon de baisers brûlants sur sa taille, le long de sa ceinture, tout en défaisant la fermeture de son jean. Elle frémit et de délicieux petits pincements de plaisir se firent sentir dans son ventre.

— Tes cheveux, murmura Gamble. Je veux les détacher.

D'un geste sûr, il lui défit sa tresse, puis il déboutonna son chemisier et dégrafa son soutien-gorge qui s'ouvrit comme un écrin et découvrit ses seins généreux. Gamble ramena la chevelure sur le buste de Jézabel, de manière qu'ils habillent ses seins en partie, puis il la contempla le contraste de la chair blanche et des boucles noires dans lesquelles le clair de lune accrochait des reflets.

Son regard glissa longuement sur elle, comme une caresse.

— Tu es d'une beauté étourdissante, dit-il avec un sourire émerveillé. Je veux t'embrasser, mais je ne sais pas par où commencer.

— Alors laisse-moi faire, c'est mon tour.

Elle se rassit, agrippa le bas du T-shirt de Gamble et le souleva en laissant ses doigts lui effleurer la peau. Puis elle se pencha pour le mordiller et l'embrasser, laissant le bout de sa langue courir partout.

Il tressaillit… et rit doucement. Jézabel sourit.

— Tu es chatouilleux, dit-elle en reprenant ses caresses.

Il s'écarta brusquement.

— Arrête.

Mais elle le tenait toujours par le T-shirt et elle ne se priva pas pour le garder prisonnier.

— Fais-moi arrêter, si tu peux, dit-elle en l'admirant. Tu es trop beau pour que je te lâche.

Le ton était donné. Ils allaient jouer. S'amuser.

Gamble plissa les yeux, la regarda. Et soudain, il la souleva et la hissa sur son épaule. Sa longue chevelure noire balaya le sol. Il tournoya sur lui-même jusqu'à ce qu'ils soient tous deux étourdis. Le vertige les prit. Jézabel perdait ses repères. Néanmoins, elle sentit son jean glisser le long de ses jambes, puis tomber dans l'herbe avant que Gamble ne l'y couche elle aussi.

— Gamble…, dit-elle, encore étourdie.

Il lui caressait les hanches, les fesses. Ses doigts s'aventurèrent bientôt sous le coton de son slip.

Alors Jézabel oublia ce qu'elle voulait lui dire. Une onde de plaisir se propagea en elle… La sensation s'intensifia encore lorsque Gamble la caressa de la langue.

Et sans qu'elle sache comment, elle se retrouva

les jambes nouées autour de ses hanches viriles et souples.

— Comme tu es fort, murmura-t-elle, admirative.

Un sourire éblouissant, et il chuchota :

— Alors, tiens-toi bien.

Elle s'agrippa comme une noyée à ses épaules, tandis qu'il glissait les mains sous ses fesses. Une fois qu'elle fut totalement captive, il poussa son avantage en lui mordillant doucement la pointe des seins et lui arracha des soupirs de plaisir.

— Oh, Gamble, tu...

Les mots moururent sur les lèvres de la jeune femme. Elle ne pouvait que se laisser emporter dans un tourbillon.

Un fabuleux tourbillon.

A ce moment, Gamble se redressa sans la lâcher et, tout en lui maintenant les jambes étroitement serrées autour de lui, il la ramena vers la voiture et l'assit de nouveau sur le capot. Mais avant de continuer, il l'interrogea du regard : était-elle d'accord pour cela ? En avait-elle envie aussi ?

Elle murmura avec un sourire mutin.

— Oui. J'ai toujours eu envie que quelqu'un fasse cela aussi.

Alors, il la fit s'allonger doucement et posa la bouche au plus secret de sa féminité.

Dès la première caresse, Jézabel bascula dans un autre monde.

Gamble s'absorba dans le plaisir qu'il lui donnait, oubliant sa propre satisfaction, alors que son corps était tendu et qu'un feu ardent lui dévorait les reins. Mais elle était douce et soyeuse, ses hanches étaient splendides. Ainsi renversée sur le capot de la camionnette, totalement abandonnée, ses cheveux répandus autour d'elle comme une cape de soie sombre, elle ressemblait à une reine, ou bien encore à une de ces sirènes dont le chant fascinait les marins au point qu'ils en oubliaient leur route et allaient se fracasser contre les rochers.

Quel merveilleux modèle elle ferait, pour un de ses tableaux...

Et quelle merveilleuse maîtresse elle était.

Déjà, il sentait qu'il n'allait plus pouvoir se passer d'elle.

Ivre de plaisir, elle laissa bientôt échapper une douce plainte, et agrippa la tête de Gamble. Alors, il l'embrassa plus passionnément, plus intensément. Et quand il la sentit qui approchait de l'extase, il se redressa.

— Je vais te faire attendre encore un peu, ma belle...

Elle frissonnait et le regardait en souriant. Les larges aréoles de ses seins étaient dressées de désir.

A la voir si belle, il oublia tout.

Si bien qu'il ne put pas, finalement, la faire attendre.

Elle chercha la fermeture de son jean.

— A toi, maintenant, dit-elle en se laissant glisser à genoux devant lui.

Il renversa la tête en arrière, s'abandonna à ses lèvres douces, sensuelles, habiles, jusqu'à ce qu'il soit à son tour sur le point de perdre le contrôle.

Alors, il la releva et la prit dans ses bras. L'esprit embrumé, il la conduisit jusqu'à la portière de la voiture, l'ouvrit puis allongea Jézabel sur la banquette. Là, il se protégea, puis s'allongea sur sa compagne et plongea en elle.

Elle cria de plaisir sous l'assaut. Lui, saisi de plaisir, se figea pour se retenir. Il chercha son souffle, la contemplant abandonnée et toute à lui.

Il lui mordilla le bout des seins, s'enfouit plus profondément dans la chaleur de son corps.

— Oui... oui..., murmura-t-elle, enivrée.

Autour de son sexe, il sentait le fourreau de sa chair brûlante et douce ; dans ses cheveux, ses doigts habiles et fiévreux. Elle lui donna un baiser fougueux. Et à ce moment, il eut l'impression que le monde devenait fou.

Tout bascula.

Jézabel sut à quel moment précis Gamble perdit la maîtrise de lui-même. Elle vit son expression changer — la douleur qui jusque-là marquait toujours son visage s'effaça, les ombres qui hantaient ses yeux se dissipèrent. Il était fou de désir, mais ses gestes étaient empreints de tendresse.

Au même instant, une place très spéciale s'ouvrit

dans son cœur pour lui, et elle comprit que personne ne pourrait plus jamais le remplacer. Quelque chose venait de fondre à l'intérieur d'elle-même, un flot de douceur se répandait dans ses veines.

C'était un homme merveilleux, qui venait de causer cette transformation — quoi qu'il en dise, et quoi qu'il pense.

Dans le même temps, elle songea aussi qu'elle se préparait sans doute à vivre un grand chagrin d'amour.

Mais Gamble n'aurait pas aimé savoir qu'elle éprouvait déjà pour lui des sentiments aussi profonds et elle ne laissait rien paraître.

Elle n'y pouvait rien. Et elle ne ferait rien pour résister. Elle s'était menti à elle-même, bien sûr, en se faisant croire qu'elle pouvait passer la nuit avec lui juste pour le plaisir de l'instant... Il y avait des moments de la vie trop précieux pour être légers et s'effacer. Même quand on n'avait pas d'avenir ensemble...

Ce soir, Gamble était là. Demain... Demain était un autre jour. En attendant... elle voulait l'aimer passionnément.

Chapitre 13

C'était encore meilleur que la première fois. Il n'avait donc rien imaginé, rien embelli...

Gamble attendit que l'inévitable sentiment de culpabilité se manifeste. Cette culpabilité qui était depuis longtemps sa plus fidèle compagne.

Mais alors, Jézabel écarta les bras.

— Merveilleux..., fit-elle, dans un souffle.

Et elle se mit à rire comme une idiote.

Pendant une fraction de seconde, il sentit la griffe du chagrin l'effleurer, chercher à accrocher son attention, taquiner ses nerfs à vif comme...

Mais Jézabel leva la tête. Ses yeux pétillaient, un sourire radieux éclairait son visage et...

« Comme elle est belle », songea-t-il, émerveillé. Il lui avait fait l'amour sauvagement, et elle s'était pliée au jeu, avait pris tout ce qu'il lui donnait et...

Et lui avait donné tout ce qu'elle avait.

Son enthousiasme et sa joie de vivre étaient comme des bouées de secours lancées à un homme en train de se noyer. Un fanal allumé en pleine obscurité par une fée bienfaisante et plus belle que le jour.

Il rencontra son sourire et sourit aussi, naturellement, surpris de ne pas avoir à faire d'effort.

— Oui. Deux fois merveilleux…

Le sourire de Jézabel s'épanouit et il fut séduit une fois de plus par sa douceur naturelle. La vie avait été rude pour elle, autant que pour lui. Pourtant, elle l'affrontait la tête haute. Elle se frayait un chemin vers l'avenir, du mieux qu'elle pouvait, sans jamais perdre son enthousiasme et sa foi.

— Tu te rends compte ? Tu as gloussé quand je t'ai chatouillé.

— Les hommes ne gloussent pas.

Elle se leva, arqua un sourcil et tendit les doigts vers lui en une menace muette.

— Oh, que si ! Comme les filles.

Vive comme l'éclair, elle posa les doigts sur son torse et il recula si vite qu'il trébucha.

Jézabel renversa la tête en arrière et éclata de rire.

Gamble la contempla, fasciné. Elle était splendide. Une Amazone au corps nu et resplendissant, forte, indomptable, et d'une beauté à couper le souffle.

Une pensée fugitive l'effleura comme le souffle de la brise. L'espace d'une seconde il la compara à sa douce et timide Charlotte. Il repoussa cette pensée impitoyablement.

— Ne t'approche pas ! ordonna-t-il.

— Quoi ? Tu as peur de moi, à présent ?

Elle se laissa glisser sur le sol et avança vers lui d'un pas souple et assuré.

— C'est une saine réaction. J'ai l'impression que tu as beaucoup d'endroits sensibles, déclara-t-elle avec une lueur de pure malice dans les yeux.

— Je vais te montrer comme je suis sensible, grommela-t-il.

Il la prit dans ses bras, la souleva et lui mordit le cou.

Elle poussa une vive exclamation et, sans la lâcher, il se dirigea vers la porte, traversa le hall, entra dans la chambre. Leurs vêtements étaient restés éparpillés sur le sol, autour de la camionnette.

Cette idée le fit sourire.

Puis il ne pensa plus à rien. Il n'y eut plus que des soupirs, des murmures, des gémissements, des chuchotis. Deux corps enlacés et brûlants. Et Gamble se noya dans la douceur de Jézabel.

Les heures suivantes furent les plus légères, les plus insouciantes qu'il ait vécues depuis des années.

Le matin il quitta à regret le lit de Jézabel, conscient qu'il ne pouvait laisser les autres faire son travail à la pépinière. Il ramassa leurs vêtements, les secoua pour en chasser la poussière et enfila les siens. Ceux de la jeune femme, il les disposa sur une chaise dans la chambre. Puis il céda à la tentation et passa quelques minutes à lui embrasser le cou pour la réveiller.

Elle roula paresseusement sur le matelas, cligna les paupières et sourit doucement. Quand son regard se posa sur lui, ses pupilles s'illuminèrent de joie et il sentit son cœur se gonfler de bonheur. Ce souvenir ferait partie de ceux qu'il gardait précieusement au fond de lui.

— Bonjour.

— Bonjour, toi.

— Quelle heure est-il ?

— Très tôt. Rendors-toi. Tu n'as pas assez dormi.

— Oui, murmura-t-elle avec une moue de satis-faction. Et toi non plus.

— C'est vrai.

Il soupira et secoua la tête.

— Mais je suis attendu à la pépinière.

Il eut une hésitation. Qu'allait-il se passer, à présent ?

— Il faudra sans doute que j'aille acheter des fleurs aujourd'hui, dit-elle d'un ton léger.

Gamble eut une bouffée de reconnaissance. Elle lui facilitait vraiment les choses.

— Je sais où tu peux en trouver de très jolies.

Il laissa glisser son doigt le long d'une mèche brune qui lui barrait l'épaule et résista difficilement à l'envie de continuer plus loin, de toucher sa peau.

Elle retint sa respiration et il vit ses pupilles se dilater de plaisir.

Mais ils ne parvinrent pas à prononcer un mot. La joie qui les avait envahis pendant quelques heures était maintenant prise au piège d'un avenir incertain et d'un passé compliqué.

Gamble s'éclaircit la gorge.

— Je me disais que je pourrais t'aider à… à nettoyer le…

Il haussa les épaules et se tut. Il ne voulait pas ramener le cottage au centre de la conversation et faire resurgir les souvenirs. Mais il voulait trouver un moyen de passer du temps avec elle en dehors d'un lit.

Ses yeux verts pétillèrent de joie.

— Alors, tu veux toujours…

Elle se mordit les lèvres. Apparemment, elle éprouvait les mêmes hésitations que lui.

Gamble déglutit péniblement. Le chemin qui menait au bout du tunnel était encombré de ronces. Il n'était pas sûr de posséder les armes nécessaires pour arriver de l'autre côté.

Mais il fallait bien se mettre en route.

— Oui, dit-il en la fixant comme si elle était son guide, son étoile du Berger.

Elle parut se détendre quelque peu.

— Dans ce cas, je vais passer l'après-midi là-bas.

Elle s'assit et ramena les couvertures devant elle.

— Je te raccompagne à la voiture.

— Non.

Il lui posa les mains sur les épaules et la repoussa gentiment.

— Je veux penser à toi comme ça, ajouta-t-il d'une voix rauque.

Il déposa un léger baiser sur ses lèvres et se leva rapidement. S'il restait une seconde de plus, il se retrouverait dans le lit avec elle.

Parvenu devant la porte de la chambre, il marqua une pause, agrippa le chambranle.

— Merci, dit-il.

Et il sortit sans regarder derrière lui.

Merci.

Le mot résonna longtemps dans la tête de Jézabel. Stimulée par la nuit qu'ils venaient de passer, elle fut incapable de se rendormir. Elle finit par sortir du lit, vit le soleil éblouissant qui entrait à flots par les deux petites fenêtres de devant, et aperçut ses vêtements pliés sur la table près de la porte.

Elle ne put résister à la tentation d'esquisser un petit pas de danse. Rufus aboya joyeusement et Oscar cracha, dérangé par tant de remue-ménage.

Tout de même. Se sentir aussi heureuse après une seule nuit, c'était absurde !

Oui, mais ce n'était pas une rencontre comme les autres. Tout avait été si… extraordinaire. Bouleversant. Renversant.

Oh… Son corps était rassasié, comblé, délicieusement et terriblement… plein. Le simple souvenir de ce qu'ils avaient fait au cours de la nuit lui faisait battre le cœur.

Elle croisa les bras, posa les mains sur ses épaules et sourit béatement.

Sur le capot de la voiture… au clair de lune… Cela n'arrivait que dans les romans.

— Non, dit-elle à Rufus, en lui prenant les pattes de devant pour danser avec lui. Cela s'est réellement passé, ici, à Three Pines. Et ça m'est arrivé, *à moi*.

Elle relâcha les pattes du chien qui la contemplait avec adoration et se mit à rire, transportée de joie. Rufus aboya.

Puis elle mit de l'eau à bouillir pour le petit déjeuner et alla dans la salle de bains, non sans s'arrêter au passage pour caresser Oscar qui boudait dans un coin. Elle fit couler la douche, et ouvrit l'armoire de toilette pour prendre le dentifrice.

Son regard se posa sur le test de grossesse.

Son moral retomba à zéro.

La brosse à dents lui échappa des mains, glissa dans le lavabo, et elle s'assit sur le sol carrelé.

Aujourd'hui était le jour fatidique. Si elle faisait le test, elle aurait une réponse sûre. Elle enfouit la tête entre ses mains.

Elle n'était pas obligée de le faire. Elle pouvait simplement attendre de voir si ses règles apparaissaient normalement. Son cycle était très régulier, dans deux ou trois jours, elle saurait.

La perspective d'un sursis était attrayante. Elle disposerait d'un peu de temps pour découvrir comment sa relation avec Gamble pouvait évoluer. Sans avoir le souci de cette énorme complication... un nouveau fardeau s'ajoutant à tout ce qui pesait déjà sur leurs épaules.

Tu es lâche.

Elle plissa les lèvres, en une moue de dépit. Oui, il fallait bien admettre que c'était de la lâcheté.

Mais elle pensait aussi à Gamble. Ce matin, il avait franchi un cap important et s'était engagé sur un chemin glissant et fragile. Elle avait senti le chagrin qui le retenait, alors qu'il osait s'aventurer vers un nouvel avenir.

Si elle était enceinte et qu'il l'apprenait, il dégringolerait de nouveau dans les ravins sombres et profonds du passé.

Mais peut-être ne l'était-elle pas. Et alors, la voie serait libre pour...

Pour quoi ? Il allait repartir. Et elle lui avait dit qu'elle comprenait. Qu'elle savait qu'il n'y aurait pas de place pour elle dans sa vie.

Et de fait, elle comprenait. Et elle était toute prête à gérer son départ, ainsi que les conséquences de la première nuit qu'ils avaient passée ensemble. Elle lui parlerait même du bébé...

Quand il serait prêt.

Pour l'instant, il ne l'était pas. Mais il avait ri. Pour l'amour du ciel. Comment aurait-elle le courage de le priver de cette chance ? Il commençait à peine à s'aventurer de nouveau dans la lumière. Il suffisait de presque rien pour éteindre cette flamme. Et même l'éteindre pour toujours, si elle faisait par mégarde allusion à une grossesse. Comme elle se connaissait, elle ne pourrait pas garder très longtemps un tel secret pour elle.

Allons, quelques jours de plus passés dans l'ignorance ne feraient de mal à personne. Et elle avait trop peur de le rejeter dans un monde de tristesse et de souffrance, si jamais ce qu'elle pressentait se révélait exact.

Donc, le meilleur moyen de le protéger était encore de rester elle-même dans l'ignorance.

Jézabel se leva, prit le test et le jeta sur l'étagère, sous le lavabo. Elle aurait voulu se débarrasser aussi facilement des doutes qui subsistaient dans son esprit.

Gamble Smith avait besoin de légèreté, d'amusement, de rires. Il en avait besoin plus que n'importe qui. Quant à son amour, elle ne pourrait jamais l'avoir. Et elle ne profiterait sans doute pas très longtemps de sa présence.

Cependant, ils pouvaient voler quelques moments, quelques jours, ensemble. Profiter de ce qui se présentait.

Elle repoussa le rideau de douche et entra dans la baignoire, bien décidée à arracher quelques heures de bonheur aux doigts crochus et hostiles du destin.

Gamble s'approcha lentement du cottage. Ses paumes étaient moites, mais il ne se sentait pas aussi oppressé que les fois précédentes. Il avait pris une décision et il s'y tiendrait, malgré le poids qui pesait sur sa poitrine.

La raison lui disait qu'il était temps d'aller de l'avant. Et une partie de lui voulait se libérer des sables mouvants du remords. Mais il avait perdu la foi en la vie. Il était persuadé de ne plus mériter le bonheur ni la joie de vivre.

Il ne savait toujours pas comment il allait s'y prendre pour oublier la façon dont Charlotte et lui s'étaient quittés. Mais Jézabel avait raison sur un point. Il déshonorait ce que Charlotte et lui avaient créé en le laissant se détériorer peu à peu.

« Tu ne vois peut-être pas encore le bout du chemin, mais tu sais où le prochain pas te mènera. Quand on ne peut pas faire autrement, il faut avancer pas à pas »... Combien de fois sa mère lui avait-elle dit cela ?

A en juger par la façon dont il avait mené sa vie jusqu'ici, Marian avait plus de courage que lui.

La route qui s'étendait devant lui était boueuse. Mais il pouvait commencer par un petit pas.

Il franchit le portail et chercha Jézabel des yeux. Remarqua que les massifs devant le perron avaient déjà été débarrassés des mauvaises herbes qui étouffaient les azalées. Celles-ci étaient chargées de bourgeons prêts à fleurir. Elle avait déjà accompli un travail impressionnant, malgré le peu de sommeil auquel elle avait eu droit la nuit précédente.

Tout à coup, il entendit des aboiements furieux.

Et un cri de femme.

Il coupa le contact, descendit de la camionnette et se précipita comme un fou à l'arrière du cottage.

Il s'arrêta pile et se mit à rire.

Jézabel hurlait, oui… mais de rire.

Elle était couverte de boue des pieds à la tête. Et elle avait apparemment décidé de se rincer avec le tuyau d'arrosage.

Mais son chien bondissait frénétiquement autour du tuyau, essayant d'attraper le jet d'eau comme si celui-ci menaçait sa maîtresse. Ses longs poils dorés étaient trempés et il se secouait, éclaboussant la jeune femme qui riait aux éclats.

Une fois de plus, elle l'avait surpris. La plupart des femmes auraient été furieuses et auraient grondé le chien. En essayant bien sûr de ne pas se salir davantage…

Mais pas Jézabel. Ses cheveux dégoulinaient d'eau. Son chapeau de paille gisait sur le sol, trempé, piétiné par les pattes du chien. Mais elle dansait autour de l'animal, le taquinant avec le jet d'eau, alors qu'il gambadait dans tous les sens.

Elle finit par lever les yeux et par apercevoir Gamble. Elle tenait le tuyau devant elle, et le jet suivit le même chemin que son regard.

Il fut aspergé entièrement.

— Oups, fit-elle en écarquillant les yeux. Désolée. J'étais juste en train de jouer avec…

Poussé par une force inconnue, Gamble fit un bond dans sa direction et lui arracha le tuyau des mains.

— Ah, tu es désolée ? C'est tout ce que tu trouves à dire ? Je venais juste de me changer.

Il dirigea le jet vers elle.

Jézabel poussa un cri aigu. L'eau l'atteignit en pleine poitrine.

Rufus aboya de plus belle, s'attaquant au monstre liquide. Gamble pointa le tuyau vers lui. Et profitant de cette seconde de distraction, Jézabel se précipita vers lui…

Et glissa dans l'herbe mouillée, entraînant Gamble dans sa chute.

Il perdit le contrôle du tuyau qui se mit à sauter dans tous les sens, comme un serpent devenu fou. Rufus se jeta sur le monstre et parvint à l'attraper.

Allongée dans la boue avec Gamble, Jézabel se mit à rire follement. Elle était sale, couverte d'herbes et de boue, mais ses yeux pétillaient de gaieté.

Gamble eut l'impression que le poids qui l'oppressait depuis des mois s'allégeait un peu. La joie de Jézabel était communicative, elle se répandit en lui comme une vague chaude et délicieuse.

C'était une femme sensationnelle, faite pour les longues nuits et les rêves fous. Trop belle pour être vraie. Mais ce qui le troublait plus que tout en ce moment, ce n'était pas son corps appétissant plaqué contre le sien, ni le beau visage qui se cachait sous la boue.

Non, le plus séduisant, c'était l'espoir qu'elle faisait surgir. La joie, la légèreté, la promesse que la lumière pouvait renaître.

Le rire de Jézabel se calma, elle redevint silencieuse. Le bruit de l'eau et les aboiements du chien s'évanouirent. L'espace d'une seconde, Gamble se souvint de ce qu'avait été la vie autrefois. Dans le soleil, dans l'enthousiasme.

Il éprouva un plaisir si immense, si profond, qu'il se pencha pour embrasser sa compagne, le cœur débordant de gratitude.

Elle laissa échapper un petit gémissement de délice et lui accorda en retour un petit baiser innocent, qui exprimait plus l'amitié que le désir.

Cependant, très vite, la passion refit surface. Avant qu'elle ne prenne le dessus sur eux, Gamble mit fin au baiser. Pour une fois, il préférait ne pas s'en tenir à une union purement physique.

Elle ouvrit lentement les yeux et il se tendit, incapable d'expliquer pourquoi il avait eu cette réaction.

Elle lui caressa le dos d'un geste réconfortant, comme si elle comprenait. Puis elle posa les yeux sur sa poitrine et eut un grand sourire.

Il jeta un coup d'œil à son T-shirt et vit les traces de boue sur le tissu blanc.

Visiblement, elle n'éprouvait aucun remords.

Avant qu'il ait trouvé quelque chose à répondre, Rufus vint lui lécher la joue en signe d'amitié.

— Rufus ! gronda-t-elle.

Mais Gamble roula sur lui-même. L'interruption était la bienvenue.

— Tu veux encore jouer, petit ?

Le chien regarda le tuyau et l'eau qui s'écoulait dans l'herbe. Puis ses yeux revinrent se poser sur Gamble. Il remua la queue.

Des souvenirs d'enfance plein la tête, Gamble se jeta sur le chien et roula sur le sol avec lui. Rufus aboya joyeusement et entra dans le jeu.

Celui-ci dura quelques minutes. Finalement, Rufus et lui se lassèrent et Gamble se laissa retomber dans l'herbe, à l'ombre d'un cornouiller. Le chien s'allongea à côté de lui, haletant.

Gamble observa le ciel à travers les feuillages vert tendre et soupira avec délices. L'exercice physique lui avait fait du bien, la journée était douce, l'eau l'avait agréablement rafraîchi. Pour une fois, il avait l'esprit en paix.

Dans un moment il parlerait à Jézabel. Il lui proposerait de l'aider à nettoyer. Et il réfléchirait à la signification de ce baiser, aux sentiments qu'il avait provoqués…

Mais pour l'instant, pendant encore quelques secondes, il voulait garder les yeux fermés et se contenter… *de vivre*, tout simplement.

★ ★
★

Jézabel l'avait observé, assise dans la boue, son jean trempé. Elle était bien consciente de l'état lamentable dans lequel elle se trouvait et de tout ce qu'elle aurait à faire avant de pouvoir aller travailler ce soir. Elle n'avait pas emporté de vêtements de rechange et elle n'avait même pas une serviette de bain pour protéger le siège de la voiture.

Mais le rire de Gamble, aussi insouciant que celui d'un jeune garçon, faisait tant de bien à entendre qu'elle ne put faire autrement que de rester où elle était à le regarder, en prenant bien garde de ne pas l'interrompre.

C'était donc ainsi qu'était l'ancien Gamble Smith, avant que la tragédie ne vienne briser sa vie et éteindre la joie de vivre.

Assise sur le sol, nonchalamment appuyée sur ses coudes, elle regarda donc cet homme qui avait si désespérément besoin de rire et de jouer avec un chien fou.

C'est à ce moment précis que Jézabel Hart, pour la première fois de sa vie, tomba amoureuse.

Plus rien ne comptait plus. Ni le fait qu'ils n'aient aucun avenir possible ensemble ni celui que Gamble doive repartir à New York alors qu'elle resterait à Three Pines. Ni, non plus, le fait qu'elle lui cache quelque chose.

Ou bien qu'elle ait le cœur brisé après son départ, et qu'il n'en sache jamais rien.

Ce baiser, si innocent qu'il aurait pu être échangé par de jeunes adolescents, avait eu plus de conséquences que le fait de faire l'amour. En une fraction de seconde, il y avait eu une sorte de conspiration des événements. Le rire d'un homme, les aboiements d'un chien, une flaque de boue... il n'en avait pas fallu davantage pour qu'un sentiment profond se fraye un chemin dans un cœur qui, pourtant, se protégeait farouchement, depuis toujours.

Comment était-elle censée gérer les sentiments qui tourbillonnaient en elle, à présent ?

Elle s'aventurait si loin, hors des sentiers habituels, que c'était terrifiant. Un terrible chagrin la guettait, elle le savait. C'était le prix à payer pour s'être laissée aller à tant de joie et de bonheur.

Merde...

Elle accorda mentalement un dollar à la cagnotte.

Et elle admit qu'elle souffrirait. Et souffrirait profondément. Très bientôt. Gamble Smith n'était pas prêt du tout à partager avec elle toutes les émotions qui la submergeaient.

Le seul fait de flirter avec cette idée était ridicule.

Elle s'était mise toute seule dans cette situation. En se faisant croire qu'elle ne s'attacherait pas à lui. Elle s'était trompée. Eh bien, c'était son problème, pas celui de Gamble.

Celui-ci s'endormit avec Rufus à l'ombre d'un

arbre. Tout en l'observant, Jézabel se dit qu'elle était une grande fille et qu'elle avait toujours survécu aux épreuves que la vie lui avait envoyées.

Elle survivrait à celle-ci aussi. Comme elle pourrait.

Elle demeura parfaitement immobile, attendant qu'ils soient tous deux profondément endormis. Puis elle se leva lentement, alla sur la pointe des pieds arrêter le robinet d'arrosage, et retourna à l'arrière de la maison. Elle aurait aimé prendre une douche, mais elle éprouvait quelques remords à l'idée de se conduire comme chez elle dans une maison qui était encore celle de Charlotte. Elle décida donc de se débrouiller comme elle pouvait avec le tuyau d'arrosage qui se trouvait dans le jardin de devant.

Toutefois, il faudrait plus qu'une bonne douche pour faire disparaître le désordre et la confusion qui régnaient dans sa tête.

Gamble s'éveilla en sursaut, en sentant une grosse tête se poser sur sa poitrine.

Deux grands yeux bruns et larmoyants le contemplèrent avec adoration. Gamble s'étira et le chien se redressa aussitôt, prêt à reprendre le jeu.

Gamble s'assit lentement. Il y avait très longtemps qu'il n'avait pas dormi aussi profondément. Il vit les rayons obliques du soleil effleurer la cime des arbres à l'ouest, et se leva.

— Jéz ?

Rufus dressa les oreilles et gémit doucement.

— Où est-elle, mon garçon ?

L'esprit encore embrumé, il caressa la tête du chien. Elle ne pouvait pas être partie en lui laissant Rufus.

— Viens, allons la chercher.

Ses vêtements trempés lui collaient à la peau et l'air du soir le fit frissonner. Il se dirigea vers la porte de derrière, puis jeta un coup d'œil à ses bottes incrustées de boue. Il valait mieux aller voir d'abord si sa camionnette se trouvait toujours dans l'allée.

Ils contournèrent donc la maison. Il secoua la tête dans l'espoir de chasser la sensation d'engourdissement, mais il avait l'impression que ses membres pesaient une tonne. Il bâilla à se décrocher la mâchoire.

Il aurait pu dormir encore pendant des heures.

Puis il sourit. Malgré tout, il se sentait en forme. La voiture était toujours là et les portières étaient grandes ouvertes.

Gamble fronça les sourcils. Rufus s'élança vers le véhicule avec un aboiement de joie, mais il réussit à le retenir par son collier.

— Non, ordonna-t-il fermement. Reste là.

Jézabel avait étalé une vieille couverture sur le siège et s'était allongée. Elle semblait dormir. Cependant, le cœur de Gamble se mit à battre un peu plus fort.

Puis il s'approcha et vit que sa poitrine se soulevait régulièrement, au rythme de sa respiration.

Il s'accorda alors une minute pour la contempler. Elle avait dû se laver, avec ses vêtements. Mais certainement pas dans la douche. Il vit le tuyau d'arrosage abandonné dans la pelouse. Ses chaussettes et sa chemise étaient accrochées à un buisson et séchaient au soleil.

Il y avait une salle de bains à l'intérieur, une machine à laver et un sèche-linge. Pourquoi ne les avait-elle pas utilisés ?

La réponse lui vint immédiatement à l'esprit. Et elle le fit grimacer.

« C'est ta faute, idiot. Tu lui as fait clairement comprendre que cette maison était le tombeau de Charlotte. »

Jézabel était trop sensible, trop respectueuse des sentiments des autres pour empiéter sur un territoire qui n'était pas le sien.

Gamble posa une main sur le capot de la voiture, tout en continuant de caresser Rufus pour l'empêcher d'approcher. Il observa la jeune femme, son corps abandonné dans le sommeil, les boucles noires et brillantes comme du jais répandues en désordre sur la couverture.

« Mon Dieu, comme tu es belle », songea-t-il.

Belle et généreuse. Et douce. Attentionnée.

Espiègle. Libre. Il la revit dansant sous le jet d'eau, avec le chien gambadant à ses pieds.

Il y avait quelque chose chez elle qui l'aidait à se

sentir plus léger. Mais il avait du mal à accepter cette sensation à laquelle, lui semblait-il, il n'avait pas droit, mais qu'il trouvait follement tentante.

— Bonsoir...

Sa voix était rauque, étouffée, merveilleusement sexy.

Elle eut un sourire spontané, éblouissant.

— Bonsoir. Tu ne dois pas être très à l'aise, ici.

Elle s'étira voluptueusement et Gamble se sentit défaillir. Tout en étouffant un bâillement, elle répondit :

— Je ne pense pas que l'herbe mouillée était beaucoup plus confortable.

Il balaya d'un regard ses vêtements trempés.

— Tu aurais pu prendre une douche dans la salle de bains.

— Ce n'était pas la peine, dit-elle en baissant la tête.

— Tu ne veux pas entrer ? Je t'assure que tout est en état de marche. Et je pourrais te prêter un T-shirt, ou quelque chose.

— Il faut que je m'en aille. C'est bientôt l'heure d'ouvrir le bar.

Alors, il s'entendit suggérer :

— Darrell ne peut pas le faire à ta place ? Tu pourrais prendre ta soirée ?

Elle parut éberluée.

— Prendre ma soirée ? répéta-t-elle, comme s'il avait parlé dans une langue étrangère.

Gamble eut une brève hésitation. « Allez, continue », lui souffla une voix intérieure.

— Oui, tu sais… des vacances, quoi.

— Et qu'est-ce… qu'est-ce que je ferais de cette soirée ?

Il ne parvint pas à prononcer les mots. Jézabel et lui se dévisagèrent pendant quelques secondes en silence.

Puis il la vit se replier sur elle-même. Elle baissa les yeux.

« Essaye », dit la voix.

— Tu pourrais…

Il s'éclaircit la gorge, déglutit et débita rapidement :

— Tu pourrais dîner avec moi.

Elle releva vivement la tête.

— Avec… toi ?

Il se sentit aussi maladroit qu'un gamin de treize ans.

Mais à treize ans, il avait déjà décidé de donner son cœur à… *Non. Non, pas maintenant.*

Mon Dieu. C'était trop dur. Il ne pouvait pas continuer.

— En copains, tu veux dire ?

Il fut sur le point d'acquiescer, se reprit et déclara :

— Non. Ou peut-être que oui… Bon sang, je ne sais pas…

Elle lui prit doucement le bras. Un petit sourire incertain flotta sur ses lèvres.

— Ce n'est pas important. J'aimerais beaucoup dîner avec toi. De toute façon, la soirée est généralement calme le mercredi. Je vais appeler Darrell et lui demander de me remplacer.

— Si tu lui dis pourquoi, il refusera.

— Eh bien, je ne le lui dirai pas, répliqua-t-elle avec un clin d'œil amusé.

Il retrouva instantanément son côté léger, espiègle.

— Si tu préfères te doucher chez toi, je viendrai te chercher à 7 heures.

Elle lança un bref coup d'œil au cottage et une expression étrange passa sur son visage. Ce fut si fugace qu'il n'eut pas le temps de l'analyser.

— Je vais ramener Rufus à la maison et me changer.

Avec un sourire coquin, elle ajouta :

— J'imagine qu'il vaut mieux que je mette quelque chose de chic, même si les restaurants ne sont pas snobs, à Three Pines.

— Ils ne sont pas snobs, et ils ne détestent pas les commérages, répondit Gamble en riant.

— Ils seront donc comblés en nous voyant ensemble.

— Mais j'avais l'intention de t'emmener ailleurs.

Son sourire s'évanouit et elle murmura :

— Bien sûr.

Gamble s'approcha.

— Non, tu ne comprends pas. Je pensais que ça te changerait de Lorena ou du Dairy Queen.

— Certainement.

Un nouveau sourire, mais un peu contraint cette fois.

— C'est gentil d'avoir pensé à ça.

Il l'avait encore blessée. Il ne savait donc faire que cela ? Dire des paroles blessantes à des femmes qui ne le méritaient pas ?

— Je n'essaye pas d'être gentil, Jézabel. Mais je ne veux pas non plus être un mufle. Je connais un restaurant à Tyler. Ce n'est pas Manhattan, mais c'est plus intéressant que tout ce qu'on peut trouver ici. Mais si tu préfères aller chez Lorena pour être sûre que je n'ai pas honte d'être vu avec toi, alors, allons chez Lorena.

Elle secoua sa splendide crinière et mit les poings sur les hanches.

— Je ne suis jamais allée à Manhattan, mais je ne suis pas une idiote. Ou peut-être que si, puisque j'accepte ton invitation. Mais il y a longtemps que je n'ai pas fait un bon repas. Alors, je te suivrai où tu voudras.

Avant qu'il ait pu trouver quelque chose à répondre, elle claqua des doigts d'un air autoritaire.

— Rufus, au pied. Nous partons.

L'Amazone venait de resurgir sous ses yeux.

Gamble la regarda démarrer et disparaître à toute allure dans l'allée.

Devant le portail, cependant, elle freina, ouvrit sa portière et dit d'un air embarrassé :

— Désolée, j'ai oublié de ranger le tuyau d'arrosage et les outils.

Gamble fit un signe de la main.

— Je m'en occupe. A tout à l'heure.

Elle dit quelque chose qu'il ne comprit pas et repartit.

Et tout à coup, les mots qu'elle venait de prononcer résonnèrent dans sa tête.

Toi aussi, tu es quelqu'un de bien.

Il se mit à rire.

Et alla ranger les outils.

Chapitre 14

Idiote.

Elle était complètement cinglée d'avoir accepté.

Debout devant son placard ouvert, elle ne savait toujours pas ce qu'elle devait porter pour ce... ce non-rendez-vous. Et il ne lui restait que vingt minutes pour se décider ! Pourquoi n'avait-elle pas demandé de détails sur l'endroit où il l'emmenait ?

Parce qu'il avait été à deux doigts de changer d'avis. Elle devait l'admettre.

Et pourquoi ne l'avait-elle pas laissé revenir sur sa décision de l'inviter ? Pourquoi était-elle masochiste à ce point ?

Elle se mordit les lèvres, incapable de dire si elle s'était déjà sentie aussi nerveuse une seule fois dans sa vie.

Quelqu'un frappa à la porte.

Elle poussa un cri et saisit le premier cintre qui se trouvait à portée de main. Décrocha la robe rouge et l'enfila à la hâte.

— Une minute ! lança-t-elle en cherchant une paire de chaussures au fond du placard.

Elle laissa tomber les escarpins avec une moue désapprobatrice. Des talons verts ? Beurk. On risquait de la confondre avec un sapin de Noël.

On frappa un peu plus fort.

— J'ai dit… Oh, et puis zut, marmonna-t-elle. Il attendra une minute pendant que je reviendrai chercher une autre paire.

Elle trébucha contre Rufus allongé dans le couloir et se pencha pour le caresser.

— Tout va bien, se dit-elle à voix basse. Je suis calme. C'est juré.

Même le chien savait qu'elle mentait. Elle ouvrit la porte d'un geste brusque.

— Tu es en avance…

Ce n'était pas Gamble.

— Je croyais que tu voulais te reposer.

Darrell la toisa d'un air outré. Il lui tendit une boîte en plastique.

— Je t'ai préparé quelque chose. De la soupe.

— Oh… Je… euh…

— Elle sort avec moi, ce soir.

Gamble apparut, juste derrière Darrell.

Ce dernier fronça les sourcils, ce qui lui donna un air plus terrible encore que d'habitude.

— Alors, tu n'es pas malade ?

— Je n'ai jamais dit que j'étais…

— Tu m'as dit que tu avais besoin d'une soirée pour toi. Tu ne prends jamais de temps pour toi.

— Eh bien, elle le fait ce soir, dit Gamble. Ça pose un problème ?

Darrell lui lança un regard noir.

— Oui, ça me pose un problème. Jézabel ne sort jamais avec des hommes et elle ne devrait pas commencer avec vous.

Jézabel s'attendit à voir Gamble protester. Ce n'était pas un vrai rendez-vous. Pas un rendez-vous d'amoureux.

Mais il ne le dit pas.

— Cela ne regarde que Jézabel et moi. A vous entendre, on croirait que vous êtes son mari.

Darrell poussa une sorte de rugissement et fit un pas vers Gamble, l'air menaçant.

Gamble ne fit pas mine de reculer.

Jézabel s'élança entre les deux hommes pour les séparer.

— Doucement. Calmez-vous. Darrell, je ne t'ai pas menti. J'ai besoin d'une soirée de repos. Tu me dis toujours que je travaille trop.

— Oui, mais...

Elle ne le laissa pas aller plus loin.

— Tu m'avais promis de me remplacer. Pourquoi retires-tu ton offre ?

— Je ne l'aurais pas faite si je m'étais douté que tu sortais avec lui.

— Nous ne sortons pas en amoureux. C'est juste…

Gamble se glissa à côté d'elle et lui enlaça la taille.

— Ce que nous faisons ensemble ne le regarde pas.

Darrell s'empourpra de colère, mais elle était trop troublée par l'attitude de Gamble pour rassembler ses idées et expliquer clairement la situation.

En admettant qu'elle sache, bien sûr, où elle en était exactement avec Gamble.

— Je vous l'ai déjà dit, grommela Darrell. Si vous lui faites du mal, c'est à moi que vous aurez affaire. Je comprends qu'un gars souffre d'avoir perdu sa femme. Je ne serais plus rien sans ma Shirley. Mais Jézabel n'est pas un lot de consolation. Elle mérite qu'on l'aime pour elle-même.

Gamble serra les dents. Son visage se figea, ses traits étaient creusés. Il ne répondit pas.

Naturellement, il était toujours sous le coup du chagrin et il voulait s'en sortir. Mais il y avait beaucoup de choses que Darrell ignorait.

— Darrell, j'ai beaucoup de chance de t'avoir comme ami, dit-elle doucement. Mais tu dois me faire confiance. Je sais ce que je fais.

Il finit par détacher son regard de Gamble pour le poser sur elle.

— Tu crois ? dit-il d'un ton incrédule.

« Non, je n'en sais rien. Je suis complètement folle.

Cet homme va me faire souffrir », aurait-elle pu tout aussi bien lui répondre. Au lieu de quoi :

— Oui, affirma-t-elle avec conviction.

Darrell hocha la tête, l'air attristé.

— Je ne suis pas d'accord avec toi, mais tu ne veux jamais m'écouter. Je retourne au bar, ajouta-t-il, en pivotant sur ses talons, avec un air de dignité offensée.

Jézabel le retint par le bras et l'embrassa sur la joue.

— Merci, chuchota-t-elle, tu es un ami. Je ne t'obéirai sans doute pas, mais je t'ai entendu.

Il soupira, l'air découragé.

— Je suppose que je ne peux rien espérer de plus pour l'instant, marmonna-t-il en lançant encore un regard noir à Gamble. La petite a plein d'amis qui vous tiendront à l'œil, mon gars. Vous feriez mieux de vous tenir à carreau.

Gamble crispa les mâchoires, mais acquiesça d'un hochement de tête.

— Je ferai pour le mieux.

Darrell parut peu convaincu. Il fit un signe de la main et s'éloigna d'un pas lourd.

Jézabel le regarda partir, les yeux dans le vague. Dans quoi s'était-elle engagée ?

— Tu es magnifique.

Elle tressaillit, baissa les yeux et fit remarquer :

— Je suis pieds nus.

— J'ai vu. C'est mignon.

Elle lui décocha un regard en coin. Il avait encore les traits tendus, mais il faisait un effort pour dissiper l'impression de malaise causée par l'intervention de Darrell.

— Mes pieds sont trop grands pour être mignons.

— Tu es complexée par ta taille, n'est-ce pas ?

— En classe, j'étais si grande qu'on me faisait asseoir au fond, avec les garçons… et je les dépassais tous d'une tête.

— Tu es plus petite que moi, fit-il remarquer avec un sourire satisfait.

— Pas tant que ça. La plupart des hommes sont intimidés par ma taille.

Il eut un rire étouffé.

— J'ai l'air intimidé ?

Jézabel prit le temps de le dévisager.

Non. Il avait une allure très… sexy. Son pantalon et sa chemise noirs, assortis à ses cheveux, faisaient ressortir le bleu intense de ses yeux.

— Je ne trouve pas, avoua-t-elle.

— En revanche, j'ai très faim. Tu as bien des chaussures quelque part ?

— Oui, quelque part.

— Alors va les mettre et partons pour cette soirée de… de…

— Ce n'est pas une soirée en amoureux, dit-elle d'un ton d'avertissement.

— Pas encore.

Le cœur de Jézabel se mit à battre la chamade. Pour une fois, elle ne trouva rien à rétorquer, et rentra en trottinant pour aller prendre ses chaussures.

Gamble était conscient que, même dans les meilleurs moments, il n'était pas très doué pour la conversation. Toutefois, ce soir, il était plus muet que jamais. En général, Jézabel n'avait pas besoin qu'on la pousse à s'exprimer, elle avait plutôt tendance à parler pour deux.

Mais ce soir, le trajet s'accomplit en silence.

— Désolé, je n'ai que cette camionnette, finit-il par dire.

— Pardon ?

Elle sortit à grand-peine de ses pensées, et sourit doucement en balayant la remarque d'un geste de la main.

— Je ne suis pas snob.

Le silence s'installa de nouveau, et elle fit un effort pour relancer la conversation.

— Tout ce que je demande à un véhicule, c'est de rouler. Et aussi d'être équipé d'une radio.

— Pas de chauffage ? Ni de climatisation ?

Elle haussa les épaules avec désinvolture.

— Non. La musique avant tout. Je peux me couvrir, ou enlever mes vêtements. Euh… enfin, je veux dire… tu sais. Je ne voulais pas dire que…

Pour quelqu'un au physique aussi éblouissant, elle manquait singulièrement d'assurance. Il sourit, amusé.

— Ce n'est pas parce que tu as été strip-teaseuse que je vais interpréter toutes tes paroles de travers.

— Tu as vraiment compris ce que je voulais dire ?

Le sourire de Gamble s'élargit.

— Ce n'est pas la première fois que je t'entends bredouiller, Jézabel.

Il se détendit un peu. Maintenant que la glace était brisée, tout serait plus facile.

— Je ne bredouille pas, protesta-t-elle en croisant les bras, les yeux fixés sur la route.

— Bien sûr que si. Et je trouve cela d'autant plus étrange que tu es la personne la plus débrouillarde que je connaisse. Tu as un sens pratique étonnant.

— Je ne suis pas… je… tu le penses vraiment ?

— Oui. Même si ça ne me plaît pas.

— Pourquoi ?

— Parce que ce n'est pas très facile de draguer une maîtresse d'école.

Ses yeux lancèrent des éclairs. Gamble réprima un grognement de satisfaction. A en juger par le silence qui suivit, il avait réussi à capter complètement son attention. L'atmosphère devint plus lourde. Chargée de sentiments qu'il ne parvenait pas tout à fait à démêler.

Elle eut un petit reniflement de dépit et déclara :

— Je ne pourrais pas être maîtresse d'école. Je n'ai pas assez d'instruction.

— Aucune importance. Tu es aussi intelligente qu'une autre.

Elle parut déconcertée. Puis elle se mordilla les lèvres, ce qui arracha à Gamble un grognement de désir.

Elle fixa la route de nouveau, puis se retourna vers lui.

— C'est vrai ? Tu me trouves intelligente ?

— Oui, pourquoi ? Toi non ?

Jézabel le regarda longuement avant d'avouer doucement :

— C'est la première fois de ma vie qu'on me dit cela.

Une douce chaleur se répandit dans sa poitrine et il répliqua :

— Cela ne veut pas dire que je me trompe. Tu ne te considères pas comme une femme intelligente ? demanda-t-il en voyant son expression perplexe.

— Si, peut-être bien, répondit-elle d'un air rêveur.

Elle retomba dans le silence. Mais à présent, le silence ne le gênait plus.

L'endroit où il l'emmena n'était ni snob ni branché. C'était une boîte de nuit dans laquelle on pouvait écouter du blues, et où l'on servait des repas grandioses. Une grande partie des clients étaient de couleur et la moyenne d'âge était plutôt élevée. Les visages étaient ravinés, marqués par une vie difficile. L'air grave, ou perdus dans de sombres pensées, ils écoutaient la musique tout en battant la mesure sur la table, du bout des doigts.

Quand l'orchestre fit une pause, Gamble et Jézabel en profitèrent pour bavarder. Elle découvrit alors un homme dont les intérêts recouvraient une vaste palette. Il avait sans doute passé la plus grande partie de sa vie dans une ville minuscule, mais sa vision artistique, et probablement les graves problèmes de santé de Charlotte, lui avaient donné une maturité exceptionnelle. D'une certaine façon, Gamble était un vieil homme qui vivait dans la peau d'un plus jeune… Mais son corps et les forces de la nature s'étaient unis pour lui rappeler qu'il n'était pas encore sur le déclin. Loin de là. C'était un homme dans la force de l'âge.

En pleine possession de ses moyens physiques.

Assise face à lui, de l'autre côté de la petite table de restaurant, Jézabel était parfaitement consciente de son charme. De l'attrait sexuel qu'il exerçait sur elle. Elle devait réprimer l'élan qui la poussait vers lui, et qui la détruirait inévitablement.

Ils n'évoluaient pas dans le même monde. Gamble était sur le point d'acquérir une réelle célébrité. Ce n'était pas quelqu'un de banal, fait pour vivre une vie tranquille et étriquée dans une petite ville. Il avait certainement cru, au cours des premières années de sa vie, qu'il pouvait trouver à Three Pines tout ce dont il avait besoin. Mais Jézabel se demanda combien de temps il s'en serait contenté, même si Charlotte avait vécu.

Son amour pour elle l'aurait probablement poussé à s'enraciner ici. Mais, à présent, il était libre. Et il avait du talent. Très bientôt, il passerait dans la cour des grands. Car c'est là qu'était sa place.

Son fantasme à elle, c'était ce cottage couvert de vigne vierge, un jardin où s'ébattaient joyeusement des chiots et des petits enfants. Mais lui, un autre destin l'attendait.

Au moment où cette pensée lui effleura l'esprit, il se pencha et lui chuchota à l'oreille :

— Tu te sens bien ?

Elle n'aurait su le dire. Elle avait la gorge serrée à la pensée de ce qu'il aurait pu y avoir entre eux. Mais il avait vu juste lorsqu'il avait dit qu'elle avait le sens pratique. Jézabel Hart avait toujours eu la tête sur les épaules. Elle s'efforça donc de sourire avec naturel.

— Oui. La musique est superbe.

— Tu aimerais danser ?

Elle songea à leur première soirée ensemble. A leur première danse. Et à ce qui s'était passé ensuite.

« Tu joues avec le feu, ma fille, songea-t-elle. Probablement. Mais au moins, quand il sera parti, j'aurai des souvenirs. »

— Oui, dit-elle. Je veux bien.

★
★ ★

Leur première danse n'avait pas duré longtemps, songea Gamble en la prenant dans ses bras. Ils étaient passés au stade suivant à la vitesse de l'éclair. Mais cette fois, il voulait que ça se passe différemment.

Il ne savait pas au juste pourquoi ils étaient sortis ensemble ce soir. Tout ce qu'il pouvait dire, c'était que plus il passait de temps avec Jézabel Hart, plus il s'apercevait qu'il avait des milliers de choses à découvrir sur elle. Son apparence physique était étourdissante. Mais au fur et à mesure qu'on faisait connaissance avec elle, on se rendait compte que ce qui se voyait à la surface n'était qu'une infime partie de sa personnalité.

Il était de plus en plus persuadé qu'ils avaient fait les choses à l'envers. Ils avaient commencé par la fin.

En dépit de son passé, et quoi qu'elle en pense, elle était plus victorienne que libertine. Peut-être avait-elle appris à utiliser son corps extraordinaire comme un outil, ou même comme une arme. Mais la vraie Jézabel était, d'une certaine façon, une prude.

C'était aussi une bagarreuse, qui savait ce qu'elle voulait et l'obtenait.

Et elle était fascinante.

Mais il ne pouvait lui avouer ce qui lui plaisait le plus chez elle. Car la plupart des femmes n'aimaient pas s'entendre dire qu'elles étaient fortes et solides. Pourtant, c'était la vérité.

En y réfléchissant, elle ressemblait beaucoup à Marian, sa mère. Et à Lily. Le fait de savoir qu'il n'avait pas besoin d'être sur ses gardes, après toutes ces années de vigilance, était un soulagement. Même s'il avait de la peine à le reconnaître.

Mais cela ne voulait pas dire que Jézabel était invulnérable. Sous ses airs autoritaires, elle cachait un cœur tendre. Et elle méritait de la douceur et du romantisme. D'après le peu qu'il avait entendu sur sa vie passée, elle en avait beaucoup manqué.

La musique nostalgique les enveloppa et il entendit Jézabel soupirer.

Il la serra plus étroitement contre lui et s'abandonna au rythme lent et sensuel du blues.

Le silence qui les accompagna sur le chemin du retour était d'une qualité différente. Confortable. Maintenant qu'ils se connaissaient mieux et se trouvaient bien ensemble, les mots n'étaient plus nécessaires. Et le souvenir de leurs corps pressés l'un contre l'autre, de leurs mains transmettant un message muet était un réconfort.

Quand il s'arrêta devant la porte, il fut heureux de constater que le bar était déjà fermé et que Darrell était rentré chez lui. Il n'avait pas envie que les regards furibonds du garde du corps de Jézabel viennent dissiper l'atmosphère douce et sensuelle de la soirée.

Aussi absurde que cela parût, Gamble n'avait jamais autant eu le trac de sa vie. A son âge, il ne manquait pourtant pas d'expérience, et de plus ils avaient déjà fait l'amour ensemble.

Mais cette nuit, c'était différent.

Pour la première fois depuis son veuvage, il ne voulait pas se contenter d'une simple rencontre sexuelle. Il voulait faire l'amour.

Et il voulait absolument le faire bien. Mais il n'avait pas la moindre idée de ce que cela voulait dire.

La lampe intérieure de la camionnette s'alluma tout à coup, et il se rendit compte qu'elle avait ouvert sa portière.

— Attends.

Elle se tourna vers lui. Ses yeux lui parurent immenses. Il comprit en voyant son regard qu'elle était plongée dans un profond désarroi. Et qu'elle avait aussi perçu le sien. Finalement, malgré toutes les maladresses et les faux pas, ils avaient fini par apprendre beaucoup de choses l'un sur l'autre. Et ils étaient devenus amis.

Encore plus qu'amis. Il aimait Jézabel.

Lorsque ces mots lui traversèrent l'esprit, il s'attendit à être assailli par une vague de culpabilité. Mais à sa grande surprise, celle-ci ne fit que l'effleurer et disparaître.

Il espérait que Jézabel l'aimait aussi... peut-être. Cela aurait dû le soutenir et l'aider à franchir l'étape suivante.

Mais ce ne fut pas le cas.

Elle sourit tristement alors que le silence se prolongeait.

Puis elle se laissa glisser de son siège et dit :

— C'est bien, Gamble. Je t'assure. J'ai passé une très bonne soirée. Merci.

— Moi aussi.

Une autre pause dans la conversation.

— Peut-être…

— Ne pense pas que…

Ils s'étaient mis à parler en même temps.

— Les dames d'abord, déclara-t-il en faisant un geste vers elle.

Elle haussa une épaule d'un air détaché.

— Je voulais seulement te dire que cette sortie ne t'engage à rien. Nous avons passé une soirée très agréable, mais je reconnais que ce n'était pas vraiment un rendez-vous d'amoureux.

Il éprouva une bouffée de colère inattendue.

— Et si je voulais, moi, que ça en soit un ?

— Cela te plairait de voir les choses comme ça ? s'enquit-elle, l'air sidéré.

Il ne répondit pas et regarda un long moment par la fenêtre. Les questions tournaient dans sa tête.

— Très bien, dit-elle.

La portière se referma avec un clic à peine audible, et il vit Jézabel passer devant la voiture, dans la lumière des phares. Elle tira une clé de son sac.

Elle allait le laisser partir. Elle ne lui demanderait rien, car elle était trop bonne, trop généreuse. La protectrice des faibles, la championne des causes perdues…

Il bondit hors de son siège. La rattrapa en quelques enjambées. Lui agrippa le bras et la fit pivoter sur elle-même.

— Je n'ai pas réponse à tout, grommela-t-il sourdement. Je ne sais pas ce que je vais faire de ma vie, ou du cottage, ou de tout le reste. Mais je suis sûr au moins d'une chose, Jézabel.

Il lui prit le menton pour lui faire lever la tête vers lui.

Ses yeux étaient embués de larmes. Bon sang ! Il avait réussi à la faire pleurer encore une fois.

Elle se raidit pour réprimer un frémissement.

Elle était si courageuse… Il eut honte de lui.

— Je…

Il déglutit et reprit, péniblement :

— Je ne suis pas très doué pour exprimer ce que je ressens, Jézabel. Et je le regrette. Pour la première fois depuis des années, je ne sens plus ce grand vide à l'intérieur de moi. Et je crois que c'est un peu grâce à toi.

Il détourna les yeux brièvement, puis revint vers elle.

— Je ne veux pas être un autre chien perdu que tu ramasses dans la rue, mais…

Il s'interrompit, cherchant un chemin dans tout ce fouillis de pensées et de sentiments.

— Mais quoi ?

Il plongea les yeux dans ses prunelles vertes.

— Je ne veux pas partir ce soir.

Elle baissa les paupières, dérobant à son regard les pensées qui transparaissaient dans ses yeux.

Puis elle releva la tête et déclara d'une voix claire :

— Tu n'es pas obligé de repartir.

Elle lui tendit la main et il la prit, soulagé. Alors, elle lui tourna le dos, introduisit la clé dans la serrure.

— Jézabel...

Elle se figea.

— Ce soir, c'est différent.

— Je te crois, répondit-elle avec un hochement de tête.

— Je ne... je ne peux pas te promettre...

Jézabel se retourna et lui posa les doigts sur les lèvres.

— Tu n'as pas besoin de me faire de promesses, chuchota-t-elle.

Alors, sa bouche prit la place de ses doigts. Le baiser qu'elle lui donna était d'une exquise tendresse. Il était aussi mouillé de larmes.

A présent, le silence était leur allié. Un voile dissimulant toutes leurs craintes et leurs désirs... effaçant tout ce qu'ils ne pouvaient pas, et n'osaient pas dire.

Leurs mains remplacèrent les mots. Leurs lèvres aussi. Ils inventèrent un langage nouveau, tendre et gracieux, où les paroles n'avaient plus cours.

A la lueur d'une bougie, Gamble la courtisa. Il laissa le désir s'insinuer en eux comme une flamme. Mais chaque fois que le désir prenait des proportions insupportables, il le contenait, puis le faisait resurgir jusqu'à ce que leurs corps s'embrasent et que le monde s'efface. Ils basculaient alors dans un univers magique qui n'appartenait qu'à eux.

Jézabel rejeta la tête en arrière avec un gémissement rauque.

— Gamble, je t'en prie…

— Non, pas encore. Attends…

Tremblant sous l'effort, il s'écarta encore une fois, pour lui donner tout le plaisir qu'il pouvait. Il attisa la flamme encore et encore, faisant renaître le feu qui les projeta dans une délicieuse extase.

Quand enfin il pénétra en elle, Jézabel ne put retenir ses larmes. Ils s'agrippèrent l'un à l'autre et la puissance de la jouissance qui déferla alors le fit frissonner longuement.

Enfin, la paix et le silence s'abattirent de nouveau sur eux.

Pour la première fois depuis une éternité, Gamble sentit une douce chaleur envahir son cœur et lui redonner vie.

Le futur était encore obscur, indéfini, mais il n'était plus bouché par le désespoir. Gamble n'avait aucune idée de l'endroit où le menait ce chemin… mais du moins, il ne lui semblait plus avancer sur des jambes de plomb.

Jézabel lui passa légèrement les doigts sur les cheveux, lissant ses boucles noires et soyeuses, comme si elle pouvait effacer par ce geste la confusion qui régnait dans son esprit. Il leva la tête et sourit pour lui dire qu'elle avait déjà accompli ce miracle.

Elle eut un sourire énigmatique, comme si elle détenait le secret que connaissaient toutes les femmes. Celui que cachait Mona Lisa, ou la Proserpine de Rossetti.

Il la contempla avec émerveillement, et elle baissa les paupières. Ses joues se teintèrent de rose.

Il caressa sa peau douce et laiteuse et murmura :

— Je t'admire.

— Pourquoi ? demanda-t-elle en ouvrant brusquement les yeux.

— Pour de nombreuses raisons. Mais surtout pour ton courage.

Son visage s'illumina de plaisir.

— Je ne suis pas si courageuse que ça.

— Si, tu l'es. J'ai du mal à imaginer la force qu'il t'a fallu pour faire ton chemin toute seule, dans la vie. Pour dévoiler ton corps devant des étrangers.

La joie s'évapora. Jézabel se tendit et roula sur le côté.

Il l'attrapa dans ses bras.

— Non. Ne cherche pas à fuir. Je ne me moque pas de toi, je suis sincère. Je sais que cela a dû être très difficile pour toi.

Elle refusa de rencontrer son regard.

— J'ai essayé de me préserver, mais…

Elle le repoussa et fila de l'autre côté du lit.

Il lui saisit les épaules et la ramena vers lui.

— Veux-tu savoir pourquoi je te comprends ?

— Comment pourrais-tu comprendre ce que j'ai ressenti ?

— A New York, on a exposé mes toiles. J'ai dû assister aux expositions, alors que des parties de mon âme étaient accrochées sous les lumières de la galerie. Et des imbéciles prétentieux essayaient de m'expliquer ce que signifiaient mes tableaux. Ils avaient le culot de leur attribuer un prix, alors qu'ils ignoraient tout de la souffrance qu'ils m'avaient coûtée. Comment auraient-ils pu savoir qu'il y avait un peu de mon cœur, un peu de mon sang, sur chacune de ces toiles ? Que chaque fois que je prenais un pinceau j'étais sur le point de m'évanouir, car cela signifiait que je faisais un pas vers la vie, et que je m'éloignais inexorablement de…

Il s'interrompit tout à coup.

— De Charlotte ?

Il aurait pu nier. Mais elle était là. C'était un fantôme qui se tenait entre eux, dans le lit.

Il s'écarta et se leva.

— Oui.

Sa vieille angoisse resurgit en une seconde. Il se passa les mains dans les cheveux et se mit à arpenter la chambre.

— Gamble ?

Il s'arrêta.

Jézabel était assise en tailleur au milieu du lit, la couverture ramenée devant elle et entourant ses hanches comme une vague blanche.

— Je t'ai dit que tu pouvais me parler d'elle. Je ne t'en voudrai pas, ça m'est égal.

Elle était sincère et il le savait.

— J'ai déjà trop parlé. Je peux aller prendre une douche ?

Jézabel se décomposa et il se maudit d'avoir gâché la soirée.

— Bien sûr, dit-elle d'une voix blanche. Vas-y.

Il fit un pas dans sa direction.

— Laisse-moi juste une minute seul, et je te promets…

— Je t'ai déjà dit que je ne demandais rien.

— Pourtant, tu devrais. Tu en as le droit.

Elle se leva et déclara avec indifférence :

— Je crois que je vais aller faire du thé.

Un sourire un peu contraint, et elle ajouta :

— Les serviettes sont sous le lavabo, il n'y a pas d'armoire à linge. Fais comme chez toi. Rejoins-moi dans la cuisine quand tu auras fini.

Elle enroula le drap autour d'elle et attendit qu'il soit sorti pour s'habiller.

Tout ce qu'il pouvait faire pour l'instant, c'était de lui accorder un peu de temps et d'intimité. Il se dirigea donc vers la salle de bains et la laissa seule dans la chambre.

★ ★

Le contraste entre ce qu'ils avaient vécu un moment auparavant et cette froideur distante la déconcerta. Jézabel enfila à la hâte les vêtements les plus anodins qu'elle put trouver. Un vieux pantalon de jogging et un T-shirt taché de peinture. Rien de sexy, rien de féminin. Par-dessus tout cela, elle mit un sweater. La nuit n'était pas spécialement fraîche, mais elle ne parvenait pas à se réchauffer.

La bouilloire était sur le feu, les sachets de thé dans les tasses. Elle avait disposé sur la table le sucrier, un pot de crème et du miel. En fait, elle espérait que Gamble déclinerait l'invitation et rentrerait chez lui. Mais à tout hasard, elle alla prendre une boîte de cookies dans le placard.

Et tout à coup, une pensée la frappa.

Oh, mon Dieu… Il était dans la salle de bains. Ne risquait-il pas de trouver…

Elle entendit la porte s'ouvrir avec fracas. Il traversa la chambre à grands pas, une boîte dans la main.

Son esprit refusa d'accepter ce qu'elle savait déjà.

— C'est quoi, ça ? lança-t-il.

Il était blême. Ses yeux semblaient enfoncés dans leurs orbites, sa voix était rauque.

Elle ne trouva rien à répondre. Le cœur battant, elle le contempla en silence.

— Nous avons utilisé un préservatif… chaque fois, non ? interrogea-t-il en détachant les mots. Je t'en prie… dis-moi que c'est parce qu'il y a eu quelqu'un d'autre… avant moi.

La tentation de mentir fut très forte. Tout serait tellement plus simple. Il n'aurait qu'à partir.

Mais après ce qu'ils venaient de vivre. Ce qu'elle avait ressenti dans ses bras…

— Le…

Sa voix s'étrangla. *Allez, vas-y. Essaye encore une fois.*

— Le préservatif s'est déchiré. La première fois.

Une grimace douloureuse déforma les traits de Gamble.

— Et pourquoi n'as-tu pas encore fait le test ?

Elle éprouva une soudaine envie de rire. C'était absurde. La situation n'avait rien de drôle.

— J'allais le faire. Ce n'était pas possible tout de suite.

Elle hésita et expliqua dans un murmure :

— Il faut attendre que la date soit dépassée, tu comprends…

Une lueur d'espoir passa dans les yeux de Gamble.

— Tu n'as pas encore de retard ?

Comme elle aurait aimé pouvoir lui laisser cet espoir. Pour lui, comme pour elle, cela aurait été tellement préférable…

— Pas encore. Mais j'aurais quand même pu me servir du test ce matin.

— Et pourquoi ne l'as-tu pas fait ?

Parce que tu es venu me voir hier soir ? Parce que tu m'as laissée jouer avec toi ? Parce que tu as ri ? Que tu t'es roulé dans l'eau avec moi...

Parce que tu as dit que tu voulais me louer le cottage ?

Il n'avait pas l'air de vouloir penser à ce qu'ils avaient fait la veille dans le jardin. L'homme qu'elle avait en face d'elle en ce moment était redevenu l'étranger en colère, qui l'avait chassée de chez lui en lui disant qu'elle n'était même pas digne de s'essuyer les pieds sur le paillasson de Charlotte.

Elle décida de s'en tenir à la vérité.

— J'avais peur.

Un mélange d'émotions apparut dans les yeux de Gamble. Il passa une main sur son visage, comme pour s'en débarrasser.

Puis il lui lança la boîte du test.

— Fais-le tout de suite.

Ce n'était pas une simple suggestion. Plutôt un ordre.

La boîte tomba sur le sol, à ses pieds.

— Tout de suite ? répéta-t-elle, ahurie.

La peur lui serra la gorge.

— Tout de suite.

— Mais que... je ne sais pas quoi faire si...

Elle bredouilla, s'interrompit, égarée.

— Moi non plus, répondit-il, les mâchoires serrées. Vas-y, Jézabel. Finissons-en.

L'homme qui lui avait fait l'amour avec tant de

douceur et de tendresse avait complètement disparu. A croire qu'il n'avait jamais existé.

Elle aurait pu refuser. Mais quelque chose lui disait qu'il ne l'admettrait pas. Il l'obligerait à faire ce qu'il demandait, de gré ou de force.

Ce qui la fit céder toutefois, ce fut son expression. Il semblait défait.

Dans le fond, il avait autant à perdre qu'elle-même.

Sa gorge se noua et elle pensa avec amertume à tout ce qu'elle venait de perdre. Car quel que soit le résultat du test, Gamble ne lui ferait plus jamais confiance. Il ne jouerait plus avec elle et ne lui ferait plus l'amour.

Elle aurait voulu pouvoir rejeter la faute sur Charlotte. Mais la vérité, c'était qu'il n'était pas un homme pour elle. Jézabel avait été réaliste toute sa vie… jusqu'à ce qu'elle rencontre Gamble Smith. Alors, touchée par sa souffrance et son chagrin, elle avait chancelé, commis sa première erreur. Pour commencer, elle n'avait songé qu'à tendre la main à un homme solitaire. Puis elle avait fini par tomber amoureuse de lui, bien qu'il lui ait fait clairement comprendre dès le départ que son cœur n'était plus à prendre.

« Certaines personnes ne sont pas destinées à vivre dans ces cottages enfouis sous la vigne vierge, Jéz. Tu as voulu ignorer cela, tu en es bien punie à présent… »

Elle ne savait pas comment elle réagirait en voyant

le résultat du test. Quel qu'il soit. Mais jusqu'ici, elle avait cru qu'elle serait seule au moment de vérité.

Apparemment, c'était encore trop demander. Par un curieux tour du destin, elle se trouvait privée même de cet instant de solitude.

Elle se pencha et ramassa la boîte au moment où la bouilloire se mettait à siffler.

— Je vais éteindre, déclara Gamble.

Et il fit un large détour pour éviter de passer à côté d'elle.

Elle ouvrit la boîte d'un geste nerveux et maladroit, et fit tomber son contenu sur le sol. Elle avait envie de crier, de casser quelque chose, ou encore de disparaître dans un trou de souris. Quelque part où elle ne ressentirait plus cet affreux mélange d'humiliation, d'écœurement et de nervosité.

Les circonstances auraient dû être différentes. Si elle avait dû imaginer ce moment, elle l'aurait entouré de tout un cérémonial, de lenteur, de respect. Après tout, l'instant était déterminant. Dans quelques secondes, sa vie allait basculer. Elle allait soit avoir la certitude qu'un enfant existait déjà en elle… soit pleurer, car le miracle lui échappait.

Au lieu de cela, elle allait avoir droit à une sorte de duel. Une confrontation. Elle ne disposerait même pas de quelques secondes pour calmer les battements de son cœur, ou laisser ses larmes s'échapper. Pour échafauder toutes sortes de rêves pour son bébé, ou pour songer avec tristesse à tout le bonheur qui lui filait entre les doigts.

A cet instant, Jézabel éprouva une bouffée de rage.

Elle ouvrit la porte de la salle de bains et retourna dans la cuisine, bien décidée à informer Gamble qu'elle ferait ce test quand elle serait seule. En prenant son temps. Et qu'elle lui communiquerait le résultat plus tard. Mais...

Mais il leva la tête. Il semblait dévasté.

L'homme qui se tenait devant elle avait un immense besoin d'amour. Et même s'il ne voulait pas partager cet amour avec elle, cela ne voulait pas dire qu'il ne saurait pas en donner à un enfant.

Il fit mine de se lever et elle l'arrêta d'un geste.

— Je n'ai pas encore commencé.

Elle prit une inspiration et poursuivit dans un filet de voix :

— Cela ne me paraît pas la façon idéale de procéder, dit-elle en se tordant nerveusement les doigts. Est-ce que tu pourrais...

Elle s'interrompit, secoua la tête dans un geste d'impuissance et murmura :

— Ça ne fait rien. Attends-moi ici, j'en ai pour une minute.

Elle espéra une seconde qu'il allait la retenir. Lui

dire qu'il partait, et qu'elle n'avait qu'à l'appeler plus tard.

Mais il ne la quittait pas des yeux. Ses traits étaient creusés, tendus.

Elle repartit dans la salle de bains d'un pas aussi lourd que si elle allait à la guillotine. Maîtrisant le tremblement de ses doigts, elle accomplit tous les gestes nécessaires.

Puis elle attendit. Les pas de Gamble résonnèrent de l'autre côté de la porte et elle l'imagina, tournant en rond dans le couloir.

« Tu ne peux pas me laisser respirer tranquillement ? aurait-elle aimé crier. Juste quelques secondes, pendant que j'attends de savoir… »

Le deuxième trait rose apparut sur le test.

Alors, malgré tout son bon sens, Jézabel poussa un petit cri d'excitation, qu'elle étouffa aussitôt dans sa main.

En revanche, elle ne put contenir les battements désordonnés de son cœur. Sa tête se mit à tourner et ses yeux se brouillèrent de larmes.

Un bébé. Mon bébé.

Un bruit lui parvint de la cuisine et son cœur se serra.

Saurait-elle mentir de façon convaincante ? Elle était tentée de le faire. Le visage cendreux de Gamble lui laissait deviner ce que serait sa réaction si le test était positif.

Il y avait aussi bien sûr un autre problème. Il connaîtrait la vérité un jour ou l'autre. Qu'il quitte Three Pines, ou qu'il reste. Mais il ne saurait rien si c'était *elle* qui partait.

Elle pouvait tout recommencer de zéro, dans une autre ville. Utiliser ses économies non pas pour acheter le cottage, mais pour préparer l'avenir de son bébé. Son enfant ne manquerait de rien. Elle travaillerait autant qu'il le faudrait, et même nuit et jour pour le bien du bébé, s'en occuperait elle-même, le mettrait à l'abri de…

Une douleur sourde lui comprima la poitrine. Cet endroit lui manquerait, ses amis aussi. L'impression d'être attachée quelque part, d'y avoir des racines…

Et soudain, une terreur folle s'empara d'elle.

Si elle partait d'ici et qu'il lui arrivait malheur, son enfant serait seul au monde. Sans ressources. Abandonné, comme elle l'avait été elle-même quand elle avait perdu sa mère.

Non. Cela n'arriverait pas. Gamble n'avait qu'à partir, elle ne l'en empêcherait pas. Elle était assez grande pour veiller elle-même sur l'enfant.

Mais elle resterait ici. Si le bébé n'avait pas de père, il aurait au moins une famille, en dehors de Jézabel. Deux oncles, une tante, une grand-mère. Jézabel ne leur convenait peut-être pas, mais les Smith savaient aimer, ils connaissaient la vie de famille. Ils adoreraient l'enfant de Gamble. Et le bambin serait aussi protégé par tous les amis, comme Louis, Chappy, Skeeter et Darrell.

Donc, comment pouvait-elle faire comprendre à l'homme qui attendait dans la cuisine qu'elle ne lui demanderait rien ? Elle redressa les épaules. Et décida d'improviser. Elle trouverait bien les mots pour le convaincre.

Elle entra dans la cuisine. Il avait les yeux fixés sur la porte, tel un condamné à mort attendant qu'on vienne le chercher.

— J'ai envisagé un moment de te mentir, annonça-t-elle.

— Tu es enceinte.

Le ton plat, sans expression, ne révélait rien de ses sentiments.

Jézabel eut du mal à calmer sa respiration.

— Oui, admit-elle. Mais ce n'est pas ton problème.

Il battit des paupières, l'air hébété.

— Tu comptes… t'en… débarrasser ? bredouilla-t-il d'une voix rauque.

Elle faillit protester avec véhémence, tant elle était choquée. Pourtant, elle se reprit et demanda avec froideur :

— C'est ce que tu aimerais que je fasse ?

Il lui tourna le dos. Elle résista vaillamment à l'envie de lui agripper les épaules pour l'obliger à la regarder et savoir ce qu'il avait dans la tête.

— Ce que je vais faire ne te regarde pas, ajouta-t-elle simplement.

Il pivota vivement sur lui-même.

— Ah, non ?

— Ce n'est pas à toi d'assumer. De toute façon, il y a longtemps que je me débrouille seule.

— Peut-être, mais c'est mon enfant qui est là.

Il pointa un doigt vers le ventre de la jeune femme. Quelque chose dans son intonation la dérouta. Y avait-il un semblant d'espoir qu'il puisse s'intéresser au bébé ?

— Je ne peux pas… mon Dieu…

Il passa les mains sur son visage. Tourna les talons et se dirigea vers la porte.

— Il me faut du temps pour réfléchir.

— Gamble, je pense vraiment ce que j'ai dit. Je sais que cette nouvelle ne t'enchante pas et je ne t'en veux pas. Mais je ne suis pas Charlotte, je ne suis pas fragile, et je peux très bien me débrouiller seule.

Elle vit ses épaules se raidir, mais continua tout de même.

— Je ne t'aurais jamais menti.

Il marqua une pause, la main sur la poignée de la porte.

— Tu as menti chaque jour, par ton silence.

Les épaules de Jézabel s'affaissèrent.

— Je pouvais me tromper, murmura-t-elle d'une voix défaite. Il n'y avait pas de raison de t'inquiéter.

— Mais tu as recouché avec moi.

— Non, pas couché. Nous avons fait l'amour.

Le visage de Gamble s'assombrit.

— Tu m'avais dit que c'était juste pour passer un bon moment. Pas d'attaches…

« Et toi, tu m'avais dit que cette nuit, c'était différent. »

Elle baissa les yeux… et se mordit les lèvres pour ne pas céder aux larmes.

— Je suis désolé… je dois partir, Jézabel. Je ne peux pas…

— C'est très bien.

— Nous parlerons… plus tard. Quand j'aurai…

— Sors d'ici, Gamble. Moi aussi, j'ai besoin de réfléchir.

Elle entendit la porte métallique s'ouvrir avec un grincement.

— Ne fais rien sur un coup de tête, dit-il. Fais-moi savoir…

— Ce n'est pas ton problème, répéta-t-elle d'un ton buté.

Elle ne s'autorisa à pleurer que lorsqu'elle eut entendu le camion démarrer.

Chapitre 15

Ce n'est pas ton problème.

Gamble conduisait sans voir la route. Des pensées de toute sorte explosaient dans sa tête, il avait l'impression de traverser un champ de mines. Bon sang, mais que s'était-il passé ? Il n'arrivait pas à comprendre ! A partir du moment où il avait découvert ce test de grossesse, tout avait basculé. Et ce qui avait commencé comme une nuit merveilleuse s'était terminé par un lamentable naufrage.

En général, pour décrire le genre de sensation qu'il avait éprouvée en découvrant le test, les gens disaient : *mon cœur s'est arrêté.*

Il aurait pu jurer que le sien avait, en effet, cessé de battre pour de bon. Pendant quelques secondes, paralysé, il n'avait pas pu faire le lien entre ce que ses yeux voyaient et ce dont son cerveau était en train de prendre conscience.

Puis la vérité l'avait atteint comme un coup de poing : Jézabel l'avait trahi.

Il s'était ressaisi, espérant vaguement qu'elle allait le

rassurer, lui dire qu'il se trompait. Mais, tout au fond de lui, il s'était rappelé l'aveu qu'elle lui avait fait : il y avait longtemps qu'elle n'avait plus fait l'amour…

Ou plutôt, qu'elle n'avait pas couché avec un homme, corrigea-t-il avec mépris — avant de revenir à plus d'honnêteté. « Arrête de te mentir, songea-t-il, il ne s'agissait pas seulement de sexe. Quoi qu'il se soit passé ensuite. »

J'avais peur.

C'est l'expression qu'elle avait employée. Elle était pâle et elle tremblait. La superbe créature lumineuse, fascinante et généreuse, qui lui avait ouvert les bras ce soir, s'était transformée sous ses yeux en ombre accablée.

Et qu'avait-il trouvé à lui dire ?

Finissons-en.

Car il était lui-même encore faible, incertain. Comme un homme qui a fini, après une très longue période de souffrance, par retrouver un peu d'appétit pour la vie. Mais qui se sent tout de même coupable d'éprouver un tel sentiment. N'était-ce pas mal, de désirer Jézabel avec tout ce qu'elle incarnait ? D'avoir envie de sa chaleur, de sa gaieté, de sa force indomptable ?

Seigneur… comme elle était différente de Charlotte.

Mais c'était Charlotte qu'il aimait, n'est-ce pas ? Il était l'homme d'une seule femme. Il n'avait jamais aimé qu'elle.

Et maintenant, il payait. Trahi une première fois par le destin, par la femme qui était censée...

Il appuya de toutes ses forces sur la pédale de frein.

Le passé faisait écho au présent. Confronté à une situation similaire, voilà qu'il répétait les mêmes réactions.

Qu'est-ce qui l'avait rendu si fragile ? Si lâche ?

Il se souvint de Charlotte, de l'air abasourdi et peiné qu'elle avait eu lorsqu'il s'était mis en colère alors qu'elle venait de lui annoncer joyeusement qu'elle était enceinte...

Ce soir, la vulnérabilité de Jézabel avait fait écho à la réaction de Charlotte.

« — Tu comptes t'en débarrasser... ?

— C'est ce que tu voudrais que je fasse ? »

Non, ce n'était pas ce qu'il voulait. Car, en dépit de sa stupeur, de son incrédulité, il avait éprouvé une joie pure et sincère. Oui, il avait envie d'être père ! Déjà avec Charlotte ! Mais pas au risque de perdre sa femme.

Depuis, la peur l'avait rendu cruel.

Et puis, ce n'était pas la faute de Jézabel : le préservatif s'était déchiré, qu'y pouvait-elle ? Et elle s'était expliquée sur son silence : « J'avais peur », « Ce n'est pas ton problème ».

Il cligna les paupières, essaya de se concentrer sur la route et vit qu'il n'était pas loin de l'hôpital. Alors, il fut tenté de s'engager dans le parking et d'aller voir sa mère. N'était-elle pas la personne la plus raisonnable qu'il connaisse ? Elle serait de bon conseil...

Ou peut-être pas. Et si, elle aussi, répétait les mêmes réactions qu'à l'époque où Charlotte avait annoncé sa grossesse ? La pensée d'être grand-mère avait transporté Marian de joie. Il se rappelait encore avec quelle impatience elle avait attendu l'arrivée de ce bébé. Elle avait été la principale alliée de Charlotte et l'avait aidée avec enthousiasme à préparer la layette sur laquelle il refusait même de poser les yeux. Plus tard, après le drame, il avait été trop absorbé par son propre chagrin pour songer à réconforter sa mère.

Alors, mieux valait ne pas tourmenter sa mère en lui apprenant qu'un autre bébé était en route. Mais à qui se confier ? Pas non plus à ses frères ni à Lily. Il ne pouvait compter que sur lui-même pour réfléchir, pour éclaircir ses idées et débarrasser son esprit de toutes les scories du passé.

Ce qui signifiait qu'il devrait se décider à affronter le fameux obstacle contre lequel il s'acharnait en vain depuis des mois : peindre le portrait de Charlotte. Quand il aurait réussi, alors il pourrait laisser sa femme partir pour de bon.

Charlotte n'avait plus besoin de lui, mais lui continuait de s'accrocher à elle et à leurs souvenirs. Il s'enterrait. Seule Jézabel avait su rallumer en lui la flamme de l'homme qu'il était autrefois. Ce qu'elle avait vu lui avait plu. Elle avait refusé de l'abandonner dans l'obscurité, l'avait attiré vers la lumière.

Ce soir, il s'était montré injuste avec elle. Prisonnier de sa culpabilité, de son chagrin, il avait réagi de la pire façon possible. Jézabel méritait mieux.

Il fallait qu'il répare.

Tout en y songeant, il appuya sur l'accélérateur. A présent, il était pressé d'exorciser le passé.

Jézabel ne tenait pas en place. Pour se calmer, elle dressa une liste des tâches à accomplir de toute urgence.

Trouver un médecin.

Acheter des vitamines.

Se procurer un livre sur la grossesse.

Trouver une maison et y préparer une chambre pour mon bébé.

Mais la liste était incomplète. D'autres questions y figuraient, qu'elle ne pouvait écrire :

Comment va Gamble ? A quoi pense-t-il ? Où est-il ?

Entre deux questions, elle se mit à arpenter l'étroit appartement. Si elle habitait une grande ville, elle aurait pu faire mille choses. Se rendre dans une librairie. Ou dans une épicerie ouverte vingt-quatre heures sur vingt-quatre, et lire les étiquettes sur les produits pour bébés. Comparer les différentes marques de couches.

Malgré la façon désastreuse dont la soirée s'était terminée, une flamme ardente brûlait en elle. Un bonheur fou l'avait envahie. Elle n'obtiendrait sans doute jamais le cottage à présent. Elle avait probablement perdu l'affection de Gamble. Et elle allait devoir se battre pour élever cet enfant seule.

Mais elle allait avoir un bébé. Elle fit un petit saut sur place. Elle serait maman. Peut-être avant Noël. Pendant quelques minutes, des visions des Noëls futurs dansèrent devant ses yeux, avec des guirlandes de cadeaux, de rubans, de bougies…

Puis elle se laissa tomber dans le canapé, la tête entre les mains.

Ce soir, sa mère lui manquait plus que jamais. Elle seule aurait pu comprendre ce qu'elle ressentait. Et elle aurait été heureuse pour elle, malgré les circonstances. Elle l'aurait aidée, soutenue. Elle l'aurait prise dans ses bras et aurait voulu fêter cet événement.

Mais elle n'avait plus de mère. Personne pour lui apprendre les mille choses qu'elle avait besoin de savoir pour devenir mère à son tour.

Tout reposait sur elle… même si cela la terrifiait. Elle avait une chance de réaliser son rêve. Le prix qu'elle avait à payer pour cela était de taille. Elle devait sacrifier l'homme qu'elle aimait.

Car l'image de Gamble effondré ne la quittait pas.

Tu ne le perdras peut-être pas, lui dit la petite voix claire de son optimisme. *On ne sait jamais.*

Mais elle savait, elle, ce qui se passerait. Gamble se conduirait correctement et il l'aiderait à élever l'enfant. Car il était plein de bonté, cela ne faisait aucun doute.

Mais ils n'avaient pas eu le temps de créer un lien solide. Et maintenant, c'était trop tard.

Parle-lui. Va le voir.

Non. Il t'a dit qu'il voulait être seul.

La discussion entre les deux voix se poursuivit. Jézabel était même si absorbée par ce dialogue qui la déchirait qu'elle n'entendit pas le téléphone tout de suite.

— Mademoiselle Hart ? Ici Lansing, l'assistant du procureur. Il faut que vous vous présentiez ici demain. J'ai trouvé l'argent nécessaire dans le budget pour payer votre billet d'avion. Notez le numéro de vol, je vous prie.

Quelques heures plus tard, elle avait réglé le plus grand nombre de problèmes. Louis et Chappy prendraient des nouvelles de Skeeter. Darrell s'occuperait du bar et irait nourrir le chien et le chat. Elle n'avait soufflé mot à personne de sa grossesse. Et elle ne le ferait pas tant que Gamble et elle n'auraient pas décidé d'annoncer la nouvelle.

Toutefois, elle décida qu'elle achèterait un livre sur les bébés à l'aéroport et le lirait dans l'avion. Elle avait également trouvé l'adresse d'un médecin à Tyler et avait pris rendez-vous pour la semaine prochaine.

Elle espérait revenir à Three Pines le surlendemain. Mais le procureur l'avait prévenue que les procès ne se déroulaient pas toujours comme prévu. Elle avait donc pris des vêtements pour cinq jours.

Il ne restait plus qu'une chose à faire sur sa liste : aller voir Gamble. Il n'était peut-être pas encore prêt à parler avec elle, mais elle pouvait au moins le prévenir qu'elle partait, et lui donner la date de son retour.

Elle se rendit à la pépinière. Mais sa camionnette n'était pas devant la porte, et elle ne voulait pas se renseigner auprès de Lily. A tout hasard, elle retourna au cottage.

Et là, elle vit la camionnette garée dans l'allée.

Mais impossible de trouver Gamble. Elle l'appela plusieurs fois, mais en vain. Elle n'avait plus qu'une heure devant elle. Ensuite, elle devrait partir à Dallas.

Puis tout à coup, elle entendit de la musique. Celle-ci provenait de l'arrière du cottage.

Elle trouva Gamble dans la seule pièce où il ne l'avait pas laissée entrer la fois précédente : son atelier.

Quand elle approcha de la porte, elle comprit pourquoi il ne l'avait pas entendue.

La musique s'échappait des baffles en vagues puissantes et étourdissantes. Des chants, puis les accents poignants des violons. Et une voix vibrante d'émotion.

Dans l'atelier se trouvait un artiste qu'elle ne connaissait pas.

C'était l'artiste surdoué, dont le talent avait captivé les amateurs pourtant cyniques et blasés de New York.

Il semblait si concentré que rien ni personne n'aurait pu le distraire de son travail.

Tandis qu'il peignait, ses yeux exprimaient une souffrance intense. Jézabel dut réprimer les larmes qui lui montèrent. Puis elle vit la toile posée sur le chevalet.

Et son dernier espoir s'effondra.

C'était le portrait de Charlotte qu'il était en train de peindre. Une femme d'une beauté aérienne, éthérée, au-delà de toute beauté terrestre. Elle avait des cheveux d'or, des yeux en amande. Elle était aussi douce, frêle et délicate que les ailes d'un ange. Sur ses genoux était assis l'enfant qu'elle avait voulu donner à l'homme qu'elle aimait plus que sa vie.

A travers ses larmes, Jézabel sourit au bébé. Il avait des joues rebondies, des poings minuscules, et il était enveloppé dans une couverture qui semblait tissée d'un nuage.

Ce tableau était le plus triste, mais aussi le plus lumineux, qu'il lui ait été donné de voir. Il irradiait d'amour. L'amour que Gamble portait à ces deux êtres. Et il exprimait aussi le chagrin qui continuait de l'accabler.

Pourtant, de toute évidence, Gamble avait trouvé dans ce travail une joie consolatrice. Jézabel en était heureuse pour lui, même si cela signifiait qu'elle l'avait perdu. Elle était aussi fascinée par l'émotion qui transparaissait sur son visage. Par la force de son talent. Il semblait transcendé. Cet homme-là gâcherait sa vie et son génie en restant à Three Pines, en se cantonnant aux rêves bien modestes qu'elle lui proposait de partager avec elle derrière la petite barrière blanche d'un cottage...

Et alors qu'elle avait enfin une vision claire des choses, elle décida de laisser Gamble Smith sortir de sa vie. Elle ne s'accrocherait pas à lui, n'essayerait ni de le retenir ni d'avoir plus que ce qu'ils avaient déjà eu. Ils resteraient amis, peut-être. Ils avaient connu une intimité délicieuse, précieuse comme un cadeau, mais qui ne devait pas se prolonger.

Jézabel en garderait toujours le souvenir. Il faudrait qu'elle se contente de cela.

Elle contempla encore un peu Gamble, sans oser l'interrompre, puis elle tourna les talons, abandonnant ses rêves et son cœur derrière elle.

Chapitre 16

C'était terminé.

Gamble recula à quelques pas du chevalet.

Un tel silence régnait en lui qu'il n'était conscient que du battement de son sang dans ses tempes. Lorsqu'il finissait un tableau, il avait toujours l'impression de regagner lentement la surface de la terre après avoir passé des heures dans un antre profond.

Dans les meilleurs moments, son art et lui ne faisaient plus qu'un. Sa main n'était qu'un prolongement de sa pensée, puisait dans un lac sombre et sans fond les couleurs, les traits, les touches qu'elle plaçait sur la toile. Dans ces moments-là, Gamble Smith, l'homme ordinaire, n'existait plus. Plus rien n'existait en dehors de la vision qui s'était emparée de lui et qu'il transposait.

Parfois l'expérience était désastreuse. Mais quand tout se passait bien, c'était un miracle euphorique.

Encore enfermé au cœur de son antre, Gamble se sentit flotter, en proie à un sentiment doux-amer. Maintenant qu'il avait apporté la dernière touche au portrait de Charlotte, il se sentait prêt à remonter pour donner une nouvelle impulsion à sa vie comme il en avait besoin et envie. D'un autre côté, cela signifiait dire définitivement au revoir à Charlotte, reconnaître qu'elle appartiendrait désormais pour toujours au passé, sans espoir de retour.

— Je suis désolé, murmura-t-il. Je te pardonne, et j'aimerais que tu puisses me pardonner aussi. Je t'aimais, tu sais, et le jeune homme que j'étais et que je resterai au fond de moi t'aimera toujours. Je ne t'oublierai jamais.

Sa gorge se noua. Pendant un instant, il fut tenté de faire machine arrière, de se réfugier dans les bras rassurants du chagrin.

« Chut… Elle a besoin de toi, maintenant. » C'était Charlotte qui venait de parler. Il avait presque oublié le son de sa voix. Il se concentra sur le portrait. Regarda sa femme droit dans les yeux. « Il n'y a rien à pardonner, Gamble, dit-elle encore. Tu voulais juste me protéger. »

Tout à coup, les yeux de Charlotte prirent une nuance de couleur particulière, celle que lui donnait la flamme qu'il aimait tant. Il regarda le visage du bébé qu'ils avaient perdu. « Notre enfant aurait été si beau, mon cœur. »

— Et toi, tu aurais été une mère merveilleuse.

A cet instant, quelque chose se dénoua en lui. Il avait oublié cela, pendant ces longs mois de deuil : le plaisir simple de bavarder silencieusement avec elle.

Il s'était coupé de tout, même de cette communion spontanée et bienfaisante.

« Je serai toujours là pour t'écouter, Gamble... »

Il sourit au portrait dont le visage angélique reprit :

« Mais, maintenant, il y a quelqu'un d'autre à tes côtés, pour t'aimer et t'épauler. Tourne-toi vers elle et tout ira bien, je te le promets. »

Il détourna les yeux, au bord des larmes. La voix semblait si proche, si réelle...

« Prends soin de toi, mon amour. »

Il leva les yeux et réussit à sourire de nouveau.

— Toi aussi, ma chérie. J'espère que, là où tu es, tu es heureuse, plus forte qu'ici.

— Gamble ?

Il sursauta. Lily se tenait sur le seuil, les traits tirés par l'anxiété. Cal était derrière elle. Il la tenait par la main.

Gamble cligna les paupières et sortit de ses songes.

— Que se passe-t-il ? Vous avez l'air très inquiets...

— Et pour cause ! On ne t'a plus vu depuis une...

Elle alla vers lui et se figea. Posa une main sur ses lèvres, stupéfaite.

— Mon Dieu. Tu l'as fait, finalement.

Sa voix n'était qu'un murmure.

— On a l'impression qu'elle va sortir de la toile et parler.

Des larmes roulèrent sur ses joues. Elle s'approcha du chevalet, tendit la main, effleura le visage de l'enfant.

— Coucou, bébé, chuchota-t-elle. C'est absolument stupéfiant. Comme Charlotte serait fière, si elle pouvait le voir.

Gamble sourit.

— Oui, je pense que ça lui plairait.

Cette idée lui réchauffa le cœur. Lily l'observa.

— Tu te sens bien ?

— Très bien, répondit-il, légèrement surpris par sa propre réponse.

La tête lui tournait un peu et son estomac le tiraillait. Il hésitait entre aller dormir, ou bien partir courir dans la campagne. Mais ce qu'il désirait le plus, c'était de voir Jézabel.

Il éprouvait même un curieux sentiment d'urgence. Il avait fait un beau gâchis. Il fallait absolument qu'il se rattrape. Qu'il lui dise qu'il était enfin libre !

Libre grâce à elle.

Et qu'il était follement heureux d'avoir un enfant !

— Lil, il faut que j'y aille.

Vite, il se lava les mains et nettoya ses brosses. Tout à coup, plus rien au monde n'avait d'importance : il fallait seulement qu'il aille trouver Jézabel.

— Où cours-tu ?

— Voir quelqu'un. Ecoute, crois-tu que tu pourras t'occuper de la pépinière sans moi, pendant quelque temps ?

— Tu veux dire, comme tous ces derniers temps ?

— Euh…

Il jeta un coup d'œil à l'extérieur. La nuit tombait.

— Quelle heure est-il ?

— Presque 7 heures. Tu as disparu depuis des heures et des heures. Finalement, Cal est venu ici ce matin. Il a vu la camionnette, et entendu la musique dans l'atelier. Il n'a pas voulu te déranger. Mais moi, je m'inquiétais trop.

Elle lança un coup d'œil à Cal, derrière elle. Il lui sourit et les joues de Lily s'empourprèrent tellement que même Gamble, malgré sa distraction, s'en aperçut.

— Que se passe-t-il, vous deux ?

— Lily Belle a fini par craquer, expliqua Cal. Hier soir, elle a accepté de sortir avec moi. Et elle a succombé à mon charme irrésistible.

Sous l'ironie des mots se cachait une authentique tendresse. Et, pour une fois, Lily semblait détendue.

— Tout va bien, Lil ? s'enquit Gamble.

— Oui. Et, comme d'habitude, Cal parle à tort et à travers.

Gamble les observa avec perplexité. Ses pensées retournaient sans cesse aux paroles blessantes qu'il avait eues pour Jézabel la veille.

— Maman va être enchantée, reprit Lily. C'est bien elle que tu vas voir maintenant, n'est-ce pas ?

Gamble était ailleurs. Que devait penser Jézabel ? Il l'avait plantée là, avec son test de grossesse…

— Hé ho ? Gamble, ici la Terre. M'entendez-vous ?

Il s'arracha enfin à ses réflexions.

— Pardon ? Ecoute, Lil, dis à maman que je passerai plus tard. Il faut que je parle à quelqu'un d'abord. C'est urgent.

Il jeta un drap sur la toile pour la protéger, puis se rua vers la porte.

Finalement, Gamble décida de faire un rapide détour par la maison de sa mère, où il se doucha, se rasa et se changea. Puis il passa un peu de temps dans la serre, choisissant avec soin les fleurs qu'il allait apporter à Jézabel pour se faire pardonner la façon dont il l'avait quittée. Une peur sourde germait dans son cœur, tandis qu'il réfléchissait, choisissait les mots, les arguments dont il allait user.

Le visage de la jeune femme lui revint en esprit : un visage radieux, plein d'espoir dans la vie : *Je me débrouillerai très bien seule…*

Il n'en doutait pas une seconde. Mais il avait besoin d'elle. Débarrassé du poids de sa culpabilité, de la souffrance constante qui lui emplissait le cœur, il se sentait plus jeune, plus léger. Une impression tout à fait nouvelle, qu'il n'avait plus éprouvée depuis le jour où Charlotte lui avait annoncé qu'elle attendait un enfant, et risquait ainsi sa vie.

Le monde lui semblait contenir une infinité de possibilités.

Ce qu'il voulait le plus, c'était Jézabel.

Et l'enfant qu'elle portait. Son enfant.

Pendant un moment, il songea à celui qu'il avait perdu. « Je suis désolé, Charlotte, lui dit-il silencieusement. Ce n'est pas à toi que j'en voulais. J'avais si peur. Je n'arrivais pas à dépasser cette peur, je tremblais à chaque instant de perdre Charlotte. »

Mais Charlotte, il le comprenait maintenant, n'était destinée qu'à un bref passage sur terre. Elle était trop frêle, trop fragile pour rester auprès de lui toute une vie. Et maintenant, il fallait qu'il vive avec le regret d'avoir gâché leurs derniers mois ensemble.

Trop bousculé pour prendre une décision, il saisit au hasard un rosier en buisson, une azalée et des pensées. Des offrandes de paix, qu'il planterait pour Jézabel dans le jardin du cottage.

Et s'il avait son mot à dire, ce cottage deviendrait *leur* maison.

Il se précipita dans la camionnette, pressé de la rejoindre.

Disparue. Envolée.

Gamble soupçonnait Darrell de savoir quelque chose. Mais l'homme n'était pas disposé à parler.

— Je vous conseille de retourner à New York. Je ne sais pas ce que vous lui avez fait au juste, mais je vois bien qu'elle a le cœur brisé. Cette fille-là est trop bien pour un type comme vous. Me fiche de savoir qu'on écrit des articles sur vous. On peut vous traiter de génie dans tous les journaux du monde, ça ne changera rien. Vous vous êtes mal conduit avec elle.

Gamble ne trouva rien à dire pour sa défense. Apparemment, Jézabel n'avait pas encore révélé sa grossesse à qui que ce soit. Mais ce n'était pas à Darrell qu'il pouvait expliquer le choc et l'émotion qu'il avait éprouvés en apprenant la nouvelle. *Persona non grata,* voilà ce qu'il était. On ne voulait pas de lui. Même Chappy faisait semblant de ne pas le voir.

Il ne pouvait pas vraiment leur en vouloir.

Il quitta donc le bar, dans lequel régnait un silence hostile. Il contourna le bâtiment, scruta les environs. L'endroit était bourré de souvenirs. Jézabel en train de rire, de le chatouiller, de gémir, de soupirer…

De pleurer.

Et tout à coup, il entendit les petits cris plaintifs de Rufus, à l'intérieur.

Rufus. Son visage s'éclaira. Si elle était partie défi-nitivement, elle n'aurait pas laissé le chien.

Il posa une main sur la poignée de la porte, tenté

d'entrer dans l'appartement. Il serait tellement réconforté de voir ses affaires et…

Mais une vision soudaine s'imposa à son esprit. L'expression qu'elle avait eue quand il avait exigé qu'elle fasse le test sur-le-champ, sans attendre qu'il soit parti.

Finissons-en.

Il s'était comporté comme un mufle. Tellement obsédé par sa propre souffrance qu'il n'avait même pas remarqué celle de Jézabel. Elle avait dû se sentir humiliée, violée dans son intimité.

Il laissa retomber sa main et appuya le front contre le mur. Non, il n'empiéterait plus sur son domaine, ne forcerait plus son intimité.

Il savait au moins qu'elle allait revenir.

Mais tout à coup, une angoisse le saisit à la gorge. Pourquoi était-elle partie ? Etait-ce pour se débarrasser de l'enfant qu'il n'était pas prêt à accepter ?

C'est ce que tu veux que je fasse ?

Non. Oh, non, Jézabel. Je t'en prie…

Ce que je fais ne te regarde pas.

Mais si. Tu ne peux pas…

J'ai toujours rêvé d'avoir une vraie maison, un jardin et une famille…

Il se détendit un peu. Jézabel était comme ça. Elle ramassait les chiens perdus. Défendait les faibles. Reconstruisait les autres.

Tout de même. Il ne respirerait librement que lorsqu'il aurait pu lui parler, lui faire comprendre que…

Qu'il l'aimait.

Il marqua une pause, se répéta les mots, considéra cette idée. Il y avait là quelque chose qui sonnait juste. Gamble Smith aimait Jézabel Hart. Jézabel tout entière. Non seulement son corps splendide, mais aussi sa douceur, son cœur généreux. Le cran qui lui permettait de faire face dans un monde qui l'avait accablée de difficultés.

La persistance avec laquelle elle croyait les gens capables du meilleur, alors que la plupart d'entre eux, et lui en particulier, se montraient indignes de sa confiance.

La générosité. C'était la qualité principale de Jézabel.

Elle était une récompense, une bénédiction qu'il était loin d'avoir méritée, mais qu'il se voyait accorder tout de même, en dépit de toutes ses erreurs.

Dès l'instant de son arrivée à Three Pines, il avait eu envie de repartir. Mais à présent, il se rendait compte qu'il ne le ferait pas. Pas avant d'avoir pu parler avec elle de tout cela.

Encore désorienté de ne pas avoir trouvé Jézabel, mais armé de l'espoir qu'il pouvait avoir une seconde chance avec elle, Gamble quitta le bar. Et alla trouver la personne la plus sage qu'il connût au monde. En espérant qu'elle l'aiderait.

Après avoir longuement parlé avec sa mère, il se remit à peindre tout le reste de la nuit. Il utilisa des peintures acryliques pour qu'elles sèchent plus vite, mais se promit de reprendre le tableau plus tard, à l'huile, seules couleurs qui pourraient donner le résultat qu'il désirait.

Il avait demandé à sa mère de garder leur conversation secrète. Il n'était pas encore prêt à avouer à ses frères et sœur qu'il avait commis un tel gâchis. Avant tout, il fallait qu'il ait eu une chance de mettre les choses au point avec Jézabel et de réparer le mal qu'il avait fait.

A cette idée, il éprouva un frisson d'appréhension. La pensée le traversa qu'il aurait dû appeler Kat pour lui raconter ce qui lui arrivait. Elle se serait fait un plaisir de lui dire qu'il n'avait que ce qu'il méritait.

Mais il finirait par gagner, décida-t-il en lui-même.

Jézabel avait le droit de lui en vouloir. Elle pouvait l'ignorer, ou bien l'accabler d'injures. Le faire souffrir. Ce ne serait que justice.

Cependant, il avait un atout : le cottage. Et grâce à cela, il emporterait la partie.

Il gagna les bonnes grâces de Lily en lui promettant qu'elle serait la première à entendre toute l'histoire, et obtint une matinée de liberté. Quand il quitta la pépinière, Cal et sa sœur échangeaient des sourires énamourés, tels des adolescents. Il se promit de questionner Lily plus tard. Pour le moment, il ne pouvait penser qu'à Jézabel. Il en oubliait même de manger et de dormir. Une énergie qu'il n'avait jamais connue jusque-là le tenait en éveil.

Quelques heures plus tard, le décor était brossé.

Il n'avait plus qu'à attendre. Mais si elle ne revenait pas très vite, il harcèlerait Darrell et Skeeter jusqu'à ce qu'ils parlent.

Jézabel descendit de sa voiture en traînant les pieds. Deux jours passés à attendre pour rien. On n'avait pas eu besoin de son témoignage. Mais Russ Bollinger avait été reconnu coupable et condamné. Il ne pourrait lui reprocher d'avoir été pour quelque chose dans sa condamnation, ce qui était un soulagement. Elle pouvait maintenant oublier cette histoire.

Elle était enfin chez elle, libre d'agir à sa guise.

Cependant, elle se figea devant la porte de son appartement.

Libre, mais… Où allait-elle habiter désormais ?

Depuis son départ de Three Pines, elle n'avait cessé de balancer entre la détermination et le désespoir. Elle n'était pas obligée de quitter la ville. Gamble partirait certainement dès que sa mère serait rétablie.

Mais très vite, son secret serait connu. Trop de gens les avaient vus ensemble. Elle avait fini par admettre le fait que Gamble et elle n'avaient pas d'avenir possible. Ce qui l'inquiétait le plus, c'était que son enfant souffre de ne pas avoir de père. Gamble refuserait peut-être de s'y intéresser, et même de le reconnaître. Elle avait longtemps vécu en marge de la société et elle ferait tout ce qui était en son pouvoir pour éviter à son enfant de connaître le même sort.

Si elle changeait de ville, elle pourrait se faire passer pour veuve. Et son bébé n'aurait pas besoin de savoir, avant plusieurs années, que son père avait décidé de ne pas s'en occuper. Mais elle en revenait sans cesse à la même crainte : si elle quittait Three Pines, ses pires terreurs risquaient de se réaliser. S'il lui arrivait quoi que ce soit, son enfant se retrouverait seul et sans défense, comme elle autrefois.

Elle n'avait pour ainsi dire pas dormi depuis le moment où elle avait quitté l'atelier de Gamble, comme un zombie. Chaque fois qu'elle s'allongeait et fermait les paupières, le portrait de Charlotte revenait la hanter… la narguer. C'était le symbole d'un amour auquel Jézabel n'aurait jamais droit.

Exténuée, elle ouvrit la porte de son logement de fortune… Elle fut aussitôt assaillie par un chien en manque d'affection et un chat furieux d'avoir été trop longtemps ignoré.

— Rufus…

Pour la première fois depuis l'instant où ses espoirs avaient volé en éclats, elle sanglota. Elle tomba à genoux, serrée contre son chien.

Puis elle se laissa glisser assise sur le sol et continua de pleurer sur ses rêves de bonheur perdus, son idéal inaccessible. Oscar vint se frotter contre elle en ronronnant et Rufus lui lécha les mains.

Finalement, au bout d'un moment, l'orage passa. Vidée de ses forces, elle demeura recroquevillée, à caresser ses deux meilleurs amis. Pour se réconforter, elle passa en revue toutes les raisons qu'elle avait d'être heureuse. Les yeux fermés, elle appuya la tête au battant de la porte et se ressaisit. Quelques jours auparavant, la vie lui paraissait encore merveilleuse.

Elle passa un bras autour du cou de Rufus, l'attira contre elle et posa une main sur son ventre.

— Nous allons nous en sortir, mon bébé. Je te le promets.

Elle regarda son fidèle compagnon et ajouta :

— Rufus, je vais avoir besoin de ton affection.

Un sourire piteux se dessina sur ses lèvres. « Regarde-toi. Demander de l'aide à un chien… Franchement, Jézabel, tu es un cas. »

— Bon. La séance d'apitoiement est terminée. Il est temps de faire des projets à présent.

Elle s'agenouilla lentement, se releva, ôta ses chaussures et se dirigea d'un pas lourd vers la table de cuisine où était entassé son courrier.

Et alors, elle se figea de surprise.

Il y avait des fleurs partout. Dans des pots, dans des vases, sur la table, sur le comptoir. Des roses, des gardénias, du chèvrefeuille, des azalées.

Et juste au milieu de la table, une enveloppe.

Son nom y était tracé dans une écriture ferme et masculine.

A côté de son nom figurait un minuscule croquis représentant le cottage. L'auteur du dessin ne pouvait être que Gamble Smith.

Elle prit l'enveloppe d'une main tremblante et la retourna entre ses doigts.

Puis fit une pause.

Que contenait-elle ? Elle était à la fois terrifiée et surexcitée, pressée de l'ouvrir et morte de peur.

La curiosité finit par l'emporter. Elle souleva le rabat.

« Tu n'as aucune raison de me pardonner. Je ne voulais pas te faire de mal, mais je suis bien conscient de t'en avoir fait quand même. Nous avons beaucoup de choses à nous dire. Je t'en prie, viens me retrouver au cottage. Je t'attendrai le temps qu'il faudra. »

Il avait signé d'un simple G.

Elle demeura sur place, la lettre à la main, pendant un très long moment. Elle avait peur d'espérer et pourtant, elle voulait oser.

Elle songea aux multiples épreuves qu'elle avait surmontées dans sa vie. Après tout, conduire jusqu'au cottage, ce n'était rien à côté de ce qu'elle avait fait autrefois. Enlever ses vêtements devant des inconnus, dormir dans des abris d'autobus, vivre seule dans la rue à l'âge de treize ans.

Cependant, elle n'avait jamais eu aussi peur qu'en ce moment.

Car cette rencontre pouvait être… déterminante. Tout allait se jouer en quelques minutes. Ses rêves, ses fantasmes, la vie d'un enfant, ses désirs les plus profonds…

A moins qu'elle n'ait simplement affaire à un homme correct qui voulait trouver un moyen de régler la situation honnêtement…

Avant de sortir de sa vie.

Elle serra l'enveloppe. Et s'aperçut qu'il y avait autre chose à l'intérieur.

Elle la renversa et une clé tomba au creux de sa main. Une clé marquée d'un clip bleu. Elle l'avait déjà vue, le jour où Gamble avait ouvert la porte pour la faire entrer dans la maison qu'il avait construite avec tant d'amour.

Elle la pressa contre sa poitrine.

Mais son cœur se gonfla de chagrin. Gamble allait partir. Sa bonne conscience le poussait sans doute à lui céder le cottage dont elle avait tellement envie.

Elle parvint à esquisser un pâle sourire. Quelques jours auparavant, elle aurait été la femme la plus heureuse du monde à l'idée de ce que cela signifiait pour elle et pour Skeeter. Mais alors, elle ne soupçonnait même pas que le propriétaire de la maison compterait un jour bien plus que le cottage lui-même.

— Très bien, dit-elle à haute voix en se redressant.

C'était le moment de remercier le ciel pour les faveurs qu'il lui envoyait, et non de pleurer sur ce qu'elle n'avait pas. Elle contempla les fleurs, respira leur parfum délicieux. Puis jeta un coup d'œil à Rufus.

— Tu veux venir avec moi, bonhomme ?

La présence du chien lui donnerait du courage.

Toutefois, elle renonça à l'emmener et décida qu'elle devait être seule pour affronter Gamble. Elle donna encore une caresse à Rufus, une autre à Oscar, prit son sac...

Et partit régler ses problèmes avec Gamble.

Les souvenirs l'assaillaient et elle n'essaya plus de les repousser. Un jour, elle les partagerait avec son enfant.

Enfin, le cottage apparut au bout de la route et elle se figea, se préparant au déferlement d'émotions.

Partout où elle posait les yeux, elle le voyait. Furieux, exigeant qu'elle s'en aille. Superbe, en train de tailler la vigne vierge. Trempé et couvert de boue, jouant avec Rufus. Accablé de chagrin, hanté par les souvenirs, tandis qu'il l'attendait alors qu'elle visitait le cottage.

Fasciné par un charme mystérieux, alors qu'il peignait le portrait de la femme qu'il aimait.

Mais quand elle se gara et descendit de voiture, il ne se trouvait nulle part. Les jambes flageolantes, elle alla vers la porte d'entrée. A chaque pas, elle essayait d'imaginer la vie dans cette maison, avec son enfant.

L'enfant de Gamble.

Elle eut une hésitation en atteignant le perron. Un désir profond et douloureux s'insinua en elle. Elle décida de ne pas s'attendre à un miracle. Mais en vain. L'espoir était toujours là.

Finalement, elle ouvrit la porte grillagée, introduisit la clé dans la serrure et tourna. Et pénétra dans la maison qui serait à jamais, elle le craignait, la maison de Charlotte. Et pas la sienne.

Mais l'amour se nichait encore ici. Et elle essayerait d'ajouter sa part personnelle. Elle remplirait les coffres chaque jour, pour que le bébé qu'elle portait ne connaisse jamais la solitude ou la détresse.

Presque sans y penser, elle posa les yeux au-dessus de la cheminée. Là où se trouvait le joli tableau représentant le cottage…

Et se figea de stupeur.

Là, contre le mur, se trouvait un nouveau tableau.

Son portrait. Le croquis qu'il lui avait donné et qu'elle gardait précieusement. Il l'avait reproduit sur la toile. Le tableau explosait de vie et de couleur. Un fond pourpre, les bijoux de bronze, les cheveux de jais, une robe du même vert que ses yeux.

— Comme tu m'as rendue belle, murmura-t-elle en s'approchant pour mieux observer la peinture.

— Je n'ai peint que ce que je voyais.

Elle étouffa une exclamation et tourbillonna sur elle-même.

Il se trouvait là, derrière elle. L'homme qui possédait son cœur.

Pendant un long moment, ils se dévisagèrent en silence.

Puis ils se mirent à parler en même temps.

— Tu es belle…

— Je sais que tu vas partir…

Il fronça les sourcils et s'exclama :

— Comment le sais-tu ?

Les espoirs de Jézabel s'effondrèrent, mais elle redressa les épaules bravement, refusant de laisser voir sa déception.

— Je le sais. Ta vie est à New York. Tu as un avenir brillant devant toi. Ton talent est trop précieux pour t'enterrer dans une petite ville du Texas.

Encore bouleversé par son arrivée, Gamble fut un peu lent à recouvrer ses esprits. Lui qui pensait avoir su reproduire sa beauté sur la toile, malgré les peintures acryliques, se rendait compte à présent qu'il avait lamentablement échoué. Elle était resplendissante, éclatante de vie. Et en elle se trouvait un puits de bonté et de tendresse, une âme vibrante et riche, une force qui l'attirait irrésistiblement, tirait son cœur lourd de souffrance vers la lumière.

L'angoisse qui l'avait accablé pendant qu'il l'attendait

le tenaillait encore. Il ne savait comment elle allait réagir à ce qu'il avait fait…

Mais au fond de lui une certaine impatience venait de prendre vie et exigeait qu'il quitte sa cachette pour sauter de nouveau dans l'agitation de la vie.

— Et toi, Jézabel ? Comment envisages-tu ton avenir ? demanda-t-il en s'avançant vers elle. Où se passera-t-il ?

— Moi ? Eh bien, je…

Il ne l'avait jamais vue aussi troublée. L'espoir apparut en lui. Elle n'avait pas encore pris de décision.

— Une femme comme toi, qui dirige tout le monde autour d'elle, doit bien avoir une idée de ce qu'elle veut pour elle-même ?

Il s'approcha encore. Elle fit un pas de côté, visiblement mal à l'aise.

Il la prit dans ses bras, incapable de résister une seconde de plus. Mais quand il voulut l'attirer vers lui, elle résista.

— Jézabel ?

Elle tint la tête baissée. Il lui prit le menton pour l'obliger à lever les yeux.

— Ma chérie, qu'est-ce qui ne va pas ?

Ses yeux étaient immenses, d'un vert profond, et… brouillés de larmes.

— Tu sais ce que je veux, chuchota-t-elle. Ne te moque pas de moi en me laissant entrevoir ce à quoi je n'ai pas droit. Je sais qu'il y avait quelque chose de spécial entre Charlotte et toi. Je sais aussi que tu ne cesseras jamais de l'aimer. Tout ce que je voudrais, c'est que...

Elle se mordit les lèvres, comme pour empêcher les mots de les franchir.

Il comprit qu'il devait avancer avec une extrême prudence.

— C'est quoi ? demanda-t-il très doucement.

Seul le silence lui répondit. Un silence immense. Comme si le plus petit faux pas pouvait détruire ce qui était encore si fragile entre eux.

Gamble n'était pas du genre à discuter de ses sentiments. D'une façon générale, les hommes n'aimaient pas cela. Il préférait ne pas y penser. Pas question donc de les exprimer à voix haute.

Mais pour cette femme-là, pour cette femme exceptionnelle, il voulait bien essayer.

Il relâcha son étreinte et tenta de rassembler ses idées.

Jézabel parut se recroqueviller en elle-même. Il s'éclaircit la gorge et voulut s'expliquer :

— Ce n'est pas... Zut. Je t'ai dit que je ne savais pas parler.

Elle hocha brièvement la tête et se remit à contempler le sol en silence.

— J'aime Charlotte, dit-il.

Elle se tassa un peu, mais il s'obligea à continuer :

— Je l'aimerai toujours. J'avais dix ans quand nous nous sommes connus et elle en avait huit. Je me sentais responsable d'elle. Elle était déjà de santé fragile.

A chaque mot qu'il prononçait, Jézabel semblait plus mal à l'aise. Mais il ne voulait pas lui mentir.

— Je lui en ai voulu d'être enceinte, mais je n'ai rien contre les enfants. J'ai réagi ainsi parce que j'avais très peur de la perdre. Mais je voulais devenir père. Je le souhaite toujours.

Jézabel croisa son regard. Il vit une lueur d'espoir dans ses yeux, mais elle baissa presque aussitôt les paupières.

— Alors…, dit-elle d'une voix rauque. Tu… tu accepteras peut-être de reconnaître cet enfant, même si…

Elle se mordit les lèvres et reprit, péniblement :

— Je veux dire que tu partiras et que je peux élever cet enfant moi-même, mais…

— Alors, tu n'as pas…

Il se tut. Ferma les yeux.

— Le bébé est toujours là.

— Naturellement. Je n'ai jamais envisagé de ne pas le garder.

— Je suis heureux.

— Vraiment ?

Elle eut l'air si médusé qu'il se laissa emporter par la colère.

— Bien sûr que je le suis, merde !

Elle ouvrit la bouche et balbutia :

— Cela fait…

— Un dollar, je sais. Je mettrai l'argent dans cette

p... de cagnotte, marmonna-t-il, soudain follement amoureux.

— Je suis désolée. Tu n'es pas obligé.

Il ne pouvait plus rester comme ça. Il fallait qu'il la tienne de nouveau dans ses bras.

— Jézabel, pourquoi sais-tu te battre pour tout le monde, mais pas pour toi ? Tu me laisserais vraiment repartir à New York sans essayer de me retenir ? Tu ne me demanderais rien d'autre ?

Ses pupilles se dilatèrent, absorbant tout le vert de ses yeux.

— C'est Charlotte que tu aimes, pas moi. Je suis réaliste. On ne peut pas rencontrer deux fois un tel amour dans sa vie. Je ne le crois pas.

— Alors, tu te dévalues et ça me rend absolument... ment...

Il s'interrompit et renonça à se contenir plus longtemps.

— Ça me fout en rogne ! Voilà. Mets-moi encore à l'amende, ça m'est égal.

Un petit sourire flotta sur les lèvres de Jézabel, mais il vit la résignation se mêler au désir dans ses yeux.

— Non, je ne peux pas oublier Charlotte.

Elle voulut détourner le visage, mais il la ramena vers lui.

— Elle fait partie de moi. C'est ma vie avec elle qui m'a rendu tel que je suis aujourd'hui. Mais c'est le passé, mon histoire avec elle est derrière moi. Elle n'évoluera plus. Moi si. J'ai déjà changé, depuis que je t'ai rencontrée.

Le désir et l'espoir s'inscrivirent dans les yeux limpides de Jézabel. Mais elle demeura sur ses gardes.

Il redoubla d'efforts.

— Je t'aime, Jézabel. Je veux avoir une chance de refaire ma vie avec toi.

Elle battit des paupières, incrédule.

— Mais ta carrière à New York et…

Gamble sourit, la secoua gentiment.

— Tu ne comprends pas ? Je ne veux pas retourner là-bas. Je peux peindre n'importe où. Il faudra que je me déplace pour les expositions, mais tu pourras m'accompagner et…

Il baissa les yeux. Tendit la main vers le ventre de la jeune femme et suspendit son geste.

— Je peux ?

Elle acquiesça d'un signe de tête.

Il posa les doigts sur elle. Sentit la chaleur de son ventre encore plat.

Lorsqu'elle mit la main sur la sienne, il eut l'impression de respirer vraiment pour la première fois depuis des jours. Des mois.

Des années, en réalité.

— Comme tu es forte, murmura-t-il, émerveillé. Pendant des années, j'ai dû… faire attention. Etre délicat.

Il prit garde de ne pas prononcer le nom de Charlotte.

— Mais je veux que tu saches que tu peux compter sur moi. Tu n'es plus seule, à présent.

Une foule de sentiments passa sur le visage de Jézabel. L'étonnement, mais la réserve aussi. Elle ouvrit la bouche pour parler, hésita.

— Quoi ? demanda-t-il.

— Tu as dit que tu ne pouvais plus vivre ici.

— Je croyais que je ne pouvais plus.

Le moment était venu de franchir le dernier obstacle. De lui prouver qu'il voulait vraiment refaire sa vie avec elle.

— Viens avec moi.

— Où ça ?

Sans répondre, il lui prit les doigts et l'emmena dans le couloir.

Les doutes l'envahirent. Il s'arrêta brusquement devant une porte.

— Non, ça ne fait rien. Je n'aurais pas dû…

Jézabel se rembrunit.

— Qu'y a-t-il dans cette pièce ?

Il se campa devant la porte pour lui barrer le passage. Sa brillante idée lui paraissait ridicule à présent.

— Je ne sais pas ce qui m'a pris, marmonna-t-il.

Elle posa la main sur la poignée.

— Non, ne… tu…

Trop tard. Elle avait ouvert la porte.

— Je croyais bien faire, je te jure, murmura-t-il en la tirant en arrière. Laisse. Je vais débarrasser tout ça.

Le souffle court, Jézabel contempla les murs couverts

de dessins illustrant des comptines. Les peintures vives étaient visiblement l'œuvre de l'homme qui se tenait à ses côtés.

Elle demeura sans voix devant tant de beauté et de talent.

— Gamble…

Puis elle se rendit compte que la chambre ne contenait aucun mobilier, à l'exception d'un…

D'un berceau. Il était à la fois robuste et de forme extrêmement gracieuse. Jézabel comprit que c'était celui que Gamble avait fait pour Charlotte. Elle posa une main sur ses lèvres.

— Je le savais. Ce n'était vraiment pas une chose à faire. Je suis complètement idiot. Tu n'as sûrement pas envie d'avoir quelque chose qui était destiné à Charlotte ou…

La gorge nouée, incapable de prononcer un mot, elle secoua énergiquement la tête. Sa vision se brouilla.

Gamble traversa la pièce à grands pas et posa une main sur le berceau.

— Retourne dans le salon. Je vais le démonter.

Elle alla vers lui, lui prit la main. Caressa le bois satiné.

— Non, murmura-t-elle d'une voix étranglée. C'est lui, n'est-ce pas ? C'est le berceau que tu as rapporté à la maison ce jour-là ?

Il hocha la tête, l'air abattu.

— Tu serais angoissée. J'aurais dû y penser. Tu aurais peur que quelque chose…

Il posa encore une fois les yeux sur son ventre.

— Attends-moi dehors, dit-il.

Mais Jézabel lui caressa tendrement la joue.

— Tu as façonné ce berceau de tes mains. Tu l'as fait avec tout l'amour que tu avais dans le cœur.

Elle désigna les peintures sur les murs.

— Tu as fait ces dessins. Cela n'a pas de prix.

— Tu n'es pas superstitieuse ?

Jézabel secoua la tête.

— J'ai appris une chose, au fil des années, c'est que l'on fait sa chance soi-même. Bien sûr, les mauvaises choses arrivent, mais... il faut se débrouiller pour vivre avec et les surmonter.

Elle sourit.

— C'est à nous deux de vivre avec ton passé, Gamble. Certains pourraient trouver curieux d'honorer la mémoire de Charlotte de cette façon, mais moi, je trouve cela... juste. Nous relions deux parties de ta vie, en somme.

La raideur de ses épaules disparut. Il sembla se détendre.

— Tu as un cœur gros comme le monde, Jézabel. Je ne suis pas spécialement bon, mais je veux le devenir pour toi. Veux-tu me laisser te donner une maison ? Fonder une famille avec moi ?

Ils se tenaient face à face. Le moment était lourd de rêves, de craintes et d'espoir.

— C'est tout ce que je désire, dit Jézabel, la gorge

serrée par les larmes. Mais tu te trompes sur un point. Tu es un généreux et bon, Gamble.

Elle le prit dans ses bras. Il l'enlaça. Très doucement, ils se serrèrent l'un contre l'autre.

Gamble enfouit le visage dans ses cheveux et lui murmura à l'oreille :

— Des bébés, des chiots, et des chatons. D'accord ?

Elle eut un petit rire tremblant.

— Peut-être aussi des chevaux ?

— Et tous les clochards et vagabonds qui croiseront ton chemin. Humains ou animaux. J'en suis diablement sûr, ajouta-t-il avec un sourire en coin.

Elle s'écarta un peu pour le contempler et dit :

— En tout, ça fait quatre dollars pour la cagnotte.

— Je n'ai pas d'argent sur moi. Tu acceptes que je te paye en baisers ?

— Mmm... Je pense que ça peut s'arranger.

Elle sourit lorsqu'il se pencha et lui effleura les lèvres.

— Mais surtout, ne le dis pas à Louis.

PRÉLUD'

Le 1er septembre

—— Le 1ᵉʳ septembre ——

Un été à Willow Lake - Susan Wiggs • N°298

Pour oublier une douloureuse déception sentimentale, Olivia accepte la proposition de sa grand-mère : passer l'été à Willow Lake pour remettre en état le camp de vacances appartenant à ses grands-parents, où, enfant, elle a passé tous ses étés. Or le jour où se présente l'entrepreneur devant l'aider dans cette tâche, elle reconnaît avec stupéfaction Connor Davis, le garçon qu'elle a secrètement aimé durant son adolescence...

Poison - Alex Kava • N°299

C'est impossible. Et pourtant, tout le confirme. Sabrina Galloway, brillante scientifique qui travaille dans une usine experte en énergies renouvelables, vient de découvrir que celle-ci rejette des déchets toxiques dans la rivière toute proche. Consciente des conséquences mortelles de ce qui semble être un sabotage, elle décide d'en parler à ses supérieurs. Mais l'un vient de disparaître dans d'étranges circonstances, tandis que l'autre reste sourd à ses alertes...

Noirs soupçons - Brenda Novak • N°300

Lorsqu'Allie McCormick revient à Stillwater, la petite ville de son enfance, elle est fermement décidée, en tant qu'officier de police, à faire toute la lumière sur la mystérieuse disparition du Reverend Barker. Car depuis vingt ans toute la ville, en proie aux rumeurs les plus sombres, accuse de meurtre Clay Montgomery, son fils adoptif. Celui-ci, taciturne et solitaire, semble porter un lourd secret... Intriguée, mais aussi séduite par cet homme au charme mystérieux, Allie va devoir garder tout son sang-froid pour découvrir s'il est ou non l'assassin qu'elle est venue démasquer.

La poupée brisée - Amanda Stevens • N°301

Depuis la mystérieuse disparition de sa fille Ruby, il y a sept ans, Claire est inconsolable. Mais un jour, c'est le choc : dans une vitrine de la Nouvelle-Orléans, elle découvre une poupée de collection qui reproduit à la perfection les traits de sa fille... Mais la poupée est enlevée à son tour, comme Ruby, sept ans plus tôt. Volée par un homme de l'ombre, que la beauté de la petite fille avait autrefois fasciné – et dont l'obsession n'a jamais pris fin...

Retour à Belle Pointe - Karen Young • N°302

Épouse du célèbre champion Buck Whitaker, Anne a apparemment tout pour être heureuse. Mais sa vie ne la satisfait pas : elle veut un enfant, lui non. Et, quand elle fait une fausse couche, le couple entre en crise. Anne part pour Tallulah, Mississippi, où l'accueillent son père et sa belle-mère. Elle décide alors d'étudier le passé de la petite ville, où la famille de Buck possède depuis des générations la grande plantation de Belle Pointe, célèbre dans toute la région. Elle ne se doute pas, ce faisant, qu'elle va découvrir des secrets enfouis depuis bien longtemps...

L'héritière de Rosewood - Brenda Joyce • N°303

Amérique, Irlande et Angleterre, 1812 – À la mort de ses parents, Virginia Hugues apprend que son oncle, établi à Londres, compte vendre Rosewood, la plantation de tabac familiale située en Virginie. Bouleversée, la jeune fille se révolte. Certes, la propriété, incendiée pendant la guerre de Sécession, n'est plus qu'une ruine, mais elle reste la maison de son enfance, le berceau de ses souvenirs... Aussitôt, elle embarque pour l'Angleterre avec l'espoir de convaincre son oncle de renoncer à son projet. Mais elle est enlevée par un pirate irlandais...

Mortelle impasse - Helen R. Myers • N°177 *(réédition)*

Lorsqu'elle découvre une empreinte de main rouge sang tracée sur un panneau « Impasse », non loin de chez elle, Brette Barry veut d'abord croire à une farce macabre liée à Halloween. Mais l'inquiétude s'empare d'elle lorsque son fils lui révèle que Hank, son meilleur ami, a disparu la veille. L'adolescent au caractère révolté a-t-il une fois de plus décidé de fuguer... ou l'empreinte sanglante était-elle la sienne ?

Composé et édité par les
éditions **Harlequin**
Achevé d'imprimer en juillet 2007

par

LIBERDÚPLEX

Dépôt légal : août 2007
N° d'éditeur : 12990

Imprimé en Espagne